D1292026

Marie-Blanche Vergnes
Les Grands Plats Uniques

Marie-Blanche Vergnes

Les
Grands Plats
uniques

70 recettes illustrées
pour toutes les occasions

FRANCE LOISIRS
123, boulevard de Grenelle, Paris

Sommaire

Édition du Club France Loisirs, Paris,
avec l'autorisation des Éditions Solar

© Éditions Solar, Paris, 1989

Photos : Nicolas Leser

Nous remercions le , Pier Import, Ikebana Deco qui nous ont aimablement prêté la vaisselle

Photocomposition : Nord Compo, Villeneuve-d'Ascq
Photogravure : Quadri-Laser, Orléans

ISBN: 2-7242-4623-3
Numéro d'éditeur: 19348
Dépôt légal: juillet 1990

Ouvrage imprimé R. F. A. par Mohndruck, Gütersloh
Achevé d'imprimer le 20-07-1990

Introduction

La cuisine des *Grands Plats uniques* est synonyme de fête et de convivialité. Voici venu le temps où la maîtresse de maison peut, avec un minimum d'organisation, recevoir famille et amis tout en restant disponible pour ses invités. Il suffit souvent de préparer à l'avance un plat où la viande (ou le poisson) et les légumes cuisent simultanément et forment ainsi un repas complet.

Plus besoin de respecter le classique ordonnancement d'un repas : entrée, viande, légumes, desserts, puisque soit l'entrée est purement et simplement éliminée au profit d'une chaleureuse potée ou d'un planureux pot-au-feu, juste suivis d'un dessert, soit l'entrée est maintenue, mais, dans ce cas, elle fait partie du plat lui-même et se sert donc en même temps. Pour exemple, ce divin gigot d'agneau accompagné de sa salade de tomates et de poivrons grillés.

Mais *Les Grands Plats uniques,* c'est aussi l'occasion de retrouver le goût de la bonne cuisine française longuement mijotée, dont les recettes familiales se transmettent de génération en génération. Ainsi la cuisine de notre terroir retrouve-t-elle ses lettres de noblesse. A nous le civet de lièvre aux spätzle, le cassoulet toulousain et la bouillabaisse « avé l'assent ».

Passons les frontières, et l'on se retrouve devant les grands plats de la gastronomie mondiale, dont la paella, le couscous et les lasagne (par exemple) sont dignes de figurer sur les tables des meilleurs cuisiniers. Organiser un repas « à thème », et la solution buffet s'impose. Pour un dîner russe, par exemple, de multiples possibilités s'offrent à vous. Outre les traditionnels blinis que vous pouvez accompagner de mille et une garnitures à base de viandes, de poissons fumés et de légumes au vinaigre, créez l'ambiance en servant en apéritif une vodka bien frappée. Il ne faut pas craindre de faire preuve d'originalité, l'exotisme est à la mode…

Les fondues et raclettes sont aussi une solution bien pratique si l'on veut recevoir des amis « à la bonne franquette ».

Les Grands Plats uniques se veut une source d'idées, d'inspiration pour simplifier la vie des femmes qui aiment recevoir sans pour cela être confinées dans leur cuisine pendant que la soirée bat son plein. Le secret, c'est de savoir bien s'organiser, de faire la veille une liste complète des ingrédients, de préparer les plats à l'avance de façon à n'avoir qu'à les réchauffer ou à les sortir tout prêts au moment du repas.

Une table accueillante et chaleureuse est le signe d'une maison heureuse, où l'on aime être invité car l'on s'y sent bien. Que cette table soit la vôtre, tel a été notre souhait en réalisant ce livre. Toutes les recettes ont été magnifiquement illustrées de photos couleurs pour que « l'eau vous monte à la bouche » avant même que vous commenciez à les préparer. En signe d'encouragement, en quelque sorte…

Buffet antillais

Tout le charme et toute la poésie des îles à votre portée ; des saveurs intenses, des odeurs riches, des couleurs bariolées, le buffet antillais, auquel nous vous convions, a le simple goût du bonheur et de la joie de vivre.

Acras de morue

Il faut, pour 4 personnes :
250 g de filets de morue dessalée
3 gousses d'ail
4 petites échalotes
1 petit piment rouge ou vert
10 tiges de ciboulette
2 branches de thym
3 branches de persil
2 cuil. à soupe d'huile
Pour la pâte :
200 g de farine
2 œufs
2/3 verre de lait (ou moitié eau, moitié lait)
Sel, poivre
Pour la friture :
Huile de friture

Temps de préparation : 25 mn.
Temps de cuisson : 20 mn.
Temps de repos : 1 h.

1. Déposez les filets de morue dans une casserole d'eau froide et portez-les à ébullition ; laissez cuire 10 minutes puis égouttez-les.

2. Mixez en même temps dans une grande jatte l'ail, les échalotes pelées et coupées en morceaux, le piment débarrassé de ses pépins, la ciboulette, le thym effeuillé, le persil et l'huile. Effeuillez la morue et réduisez-la en hachis, puis ajoutez-la aux herbes et épices dans le mixeur et faites fonctionner l'appareil pendant 30 secondes. Recouvrez la préparation d'un linge et placez-la au réfrigérateur.

3. Faites une pâte assez fluide avec la farine, les jaunes d'œufs, le lait (ou le mélange lait/eau), le sel et le poivre. Laissez-la reposer pendant 1 heure puis mélangez-la à la préparation précédente. Battez les blancs d'œufs en neige ferme que vous incorporez à la préparation.

4. Faites chauffer l'huile de friture et jetez-y des boules de pâte prélevées avec une petite cuillère ; lorsqu'elles remontent à la surface et qu'elles sont bien dorées, sortez-les avec une écumoire et déposez-les sur du papier absorbant. Servez très chaud.

Crabes farcis

Il faut, pour 4 personnes :
4 petits tourteaux bien frais
250 g de pain rassis mis à tremper dans de l'eau
Pour le court-bouillon :
1 échalote
1 bouquet garni
Sel
1 piment
Pour la farce :
3 échalotes
6 tiges de ciboulette
5 gousses d'ail
1 petit piment rouge ou vert
3 branches de thym
4 branches de persil
1 citron (vert de préférence)
Sel, poivre
Huile
100 g de chapelure

Temps de préparation : 45 mn.
Temps de cuisson : 30 mn.

1. Faites cuire les crabes nettoyés dans de l'eau bouillante salée, avec un bouquet garni (ciboulette, thym, persil), une échalote et un piment, pendant 20 minutes. Quand ils sont cuits, décortiquez-les, émiettez la chair, conservez les parties grasses ainsi que les carapaces.

2. Pendant la cuisson des crabes, essorez bien le pain. Hachez ensemble échalotes, ciboulette, piment, thym et persil.

3. Dans la sauteuse, versez un peu d'huile, mettez-y les parties grasses du crabe ainsi que le hachis d'épices. Remuez bien le tout pendant 1 ou 2 minutes, ajoutez la chair du crabe. Faites bien revenir le tout pendant 3 minutes. Ajoutez le pain au fur et à mesure de façon à obtenir une pâte homogène mais pas sèche. Salez, poivrez. Pressez le jus d'un citron que vous ajouterez à la préparation au dernier moment.

4. Nettoyez les carapaces et remplissez-les de cette préparation. Parsemez de chapelure.

5. Faites gratiner au four, (th. 8), pendant 10 minutes, puis (th. 9), pendant 5 minutes.

Buffet scandinave

Organiser un buffet scandinave prend très peu de temps car le principe même du traditionnel « smörgasbord » réside dans la présentation d'un assortiment abondant et varié de divers mets chauds ou froids constituant un repas complet.

En accompagnement, offrez plusieurs variétés de pains en tranches précoupées, de façon que chacun puisse se servir facilement.

Dans de jolis raviers individuels, disposez séparément des roll-mops, des harengs marinés de diverses sortes (marinés dans une sauce aigre, dans une sauce au curry, à l'aigre-douce, etc.), des poissons fumés (maquereaux, sprats, anguilles, petits canapés de pain de seigle aux œufs de lump rouges et noirs, au saumon fumé, aux crevettes roses, aux œufs durs), des salades (pommes de terre, betteraves, chou blanc, concombres, oignons), le tout accompagné d'une sauce à base de crème aigre et d'aneth ou de ciboulette.

Présentez sur un joli plat un « gravlax », saumon cru, mariné à l'aneth, puis éventuellement un peu de charcuterie ou de viandes froides, et enfin une belle tarte aux myrtilles (comptez une tarte pour 6 personnes).

Accompagnez le tout de bière et d'aquavit : « Skal » (*)

(*) A la vôtre

Voici quelques idées supplémentaires de « smörgasbord » :

Beurrez une grande quantité de pains de diverses sortes (pain de mie, pain de seigle, pain au son, etc.) et posez dessus :

— une feuille de laitue, une tranche de salami, une rondelle d'œuf dur ;

— une rondelle de concombre, de l'anguille fumée, un morceau de citron ;

— des crevettes roses, une pointe d'asperge, une tige de ciboulette ;

— des moules, de la betterave en tranches minces ;

— des œufs brouillés aux épinards ;

— de la viande froide : veau, porc (surtout), rosbif ;

— des volailles en fines tranches, accompagnées de mayonnaise et de cornichons, etc.

Gravlax

Il faut, pour 8 à 12 personnes :
1 saumon très frais (1,5 à 2 kg)
100 g de sel fin
100 g de sucre semoule
2 cuil. à soupe de poivre mignonnette
1 bouquet d'aneth
1 citron plus 2 autres pour la présentation
1 laitue
1 dl d'huile d'olive

Temps de préparation : 15 mn.
Temps de macération : 3 jours.

1. Prélevez les filets de saumon en les laissant entiers. Pour cela, ôtez la tête, coupez le poisson en deux dans le sens de la longueur, supprimez l'arête centrale et pelez-le. Séchez-le avec du papier absorbant. Frottez-le avec un des citrons pour le parfumer. Hachez l'aneth et mettez ensemble dans un grand bol le sel et le poivre, le sucre et enfin l'aneth, mélangez bien.

2. Versez la moitié de ce mélange sur une grande feuille d'aluminium, posez dessus le saumon reconstitué et versez le reste du mélange. Refermez la feuille d'aluminium et laissez s'imprégner les aromates pendant deux ou trois jours dans le réfrigérateur en retournant le paquet deux ou trois fois par 24 heures.

3. Au moment de servir, grattez les aromates et essuyez le saumon avec un linge, coupez-le en très fines tranches, en biais, et présentez-le avec des branches d'aneth et des quartiers de citron. Arrosez-le d'un filet d'huile d'olive.

Buffet russe

Proche et différent à la fois de son cousin le buffet scandinave, le buffet russe a ses spécialités, dont les blinis sont, sans conteste, le fleuron et, en tout cas, le symbole. Ce sont de petites crêpes levées qui font office de pain pour tous les « zakouski » présentés sur une table à part. Les « zakouski » sont un assortiment de hors-d'œuvre dont nous vous donnons ici quelques exemples :

— assiette de différents poissons fumés : harengs, truites, flétan, saumon, maquereaux, anguilles, sprats, etc.

— assiette de différents harengs frais : au curry, à l'aneth, en rollmops ;

— œufs de lump, de truite, de saumon et... caviar présenté sur de la glace pilée ;

— tarama, caviar d'aubergines, mousse de foie de volaille ;

— petits pâtés feuilletés (pirojki) farcis à la viande ;

— salade de concombres à la crème aigre et à l'aneth ;

— cubes de betteraves et de cornichons molossol, chou blanc et rouge râpés, pommes de terre, etc.

— quartiers de citron, rondelles d'œufs durs.
Et de la vodka.

Blinis

Il faut, pour environ 20 blinis :
200 g de farine de froment
100 g de farine de sarrasin
20 g de levure de boulanger
3 verres de lait
1 cuil. à soupe de sucre et 1/2 cuil. à café de sel
3 œufs (3 jaunes et 3 blancs)
2 dl de crème « fleurette »
100 g de beurre + 50 g de beurre clarifié

Temps de préparation : 25 mn.
Temps de cuisson : 30 à 40 mn.
Temps de repos de la pâte : 6 h 30.

1. Délayez la levure dans un verre de lait tiède, ajoutez 50 g de farine et laissez gonfler pendant 3 heures dans un endroit tiède.

2. Ajoutez à ce levain le reste des farines, les trois jaunes d'œufs, 50 g de beurre fondu, le sucre et le sel, pétrissez, puis versez le reste de lait et mélangez doucement jusqu'à ce que vous obteniez une pâte lisse et homogène. Couvrez d'un linge propre et laissez reposer à nouveau pendant 3 heures.

3. Montez les blancs d'œufs en neige ferme, fouettez la crème en chantilly et faites fondre le reste de beurre ; mélangez ces ingrédients et incorporez-les, par cuillerées, à la pâte à blinis. Laissez encore reposer pendant 30 minutes.

4. Faites chauffer deux à trois poêles à blinis en même temps et faites-y fondre une noisette de beurre, étalez un peu de pâte de 1 à 2 millimètres d'épaisseur, laissez dorer légèrement et retournez la crêpe. Les deux faces doivent être couleur noisette. Servez tiède, accompagnez-les de beurre fondu clarifié (beurre fondu dont on retire la mousse qui se forme à la surface, avec du papier absorbant).

Tarama

Il faut :
200 g d'œufs de cabillaud fumé (ou de saumon)
le jus d'un citron
1 tranche de pain de mie ou 3 cuil. à soupe de crème fraîche double
3 cuil. à soupe d'huile d'olive

Temps de préparation : 10 mn.
Temps de cuisson : 1 mn.

1. Plongez les œufs de poisson pendant 1 minute dans de l'eau en ébullition, cela vous permettra de retirer facilement la peau qui les entoure. Égouttez-les soigneusement et écrasez-les à la fourchette. Versez le jus de citron, mélangez et mettez-les dans un récipient creux, un bol par exemple.

2. Faites tremper la mie de pain dans un peu de lait et essorez-la en la pressant fortement pour retirer l'excédent de liquide. A la place, vous pouvez utiliser de la crème fraîche mais dans ce cas, le tarama est plus riche en calories et se conserve moins longtemps.

3. Avec un fouet métallique, mélangez les œufs écrasés et la mie de pain (ou à la crème fraîche) puis « montez » comme pour faire une mayonnaise avec l'huile d'olive, versée en filet. A la consistance désirée, parsemez de quelques gouttes de jus de citron, décorez de petites olives noires et placez au réfrigérateur jusqu'au moment de servir.

Grande salade niçoise

Il faut, pour 6 personnes :
4 belles tomates bien fermes ou 6 tomates olivettes
1 concombre
250 g de haricots verts extra-fins
6 petits oignons blancs avec leur tige
1 poivron vert
1 poivron rouge
6 œufs durs
250 g de thon frais ou à l'huile
1 petite boîte de filets d'anchois allongés
2 gousses d'ail
2 cuil. à soupe de vinaigre de vin blanc à l'estragon
6 cuil. à soupe d'huile d'olive
1 cuil. à soupe de basilic frais effeuillé
200 g d'olives noires dites niçoises
Gros sel
Sel, poivre

Temps de préparation : 50 mn.
Temps de cuisson : 20 mn.

1. Lavez les tomates et le concombre. Plongez les tomates 20 secondes dans de l'eau bouillante pour les peler facilement ; coupez-les en quartiers. Émincez finement le concombre et faites-le dégorger avec du gros sel, le temps de préparer la suite de la recette.

2. Équeutez les haricots verts, cassez-les en deux pour ôter leurs fils puis plongez-les dans de l'eau salée portée à ébullition : laissez-les ainsi blanchir pendant 10 minutes, ils doivent rester « al dente ». Puis faites-les égoutter et séchez-les dans du papier absorbant.

3. Glissez les poivrons sous le gril du four et laissez-les noircir pendant une dizaine de minutes, le temps que la peau se décolle toute seule. Pelez alors les poivrons, ouvrez-les en deux, ôtez les pépins et les parties blanches qui se trouvent à l'intérieur et coupez-les en lanières.

4. Écalez les œufs durs ; coupez-les en quartiers. (Lorsque vous cuirez les œufs, ne les laissez que 7 à 8 minutes dans de l'eau à ébullition pour que les jaunes restent moelleux et d'une belle couleur or.)

5. Nettoyez soigneusement le thon frais, décollez la peau dure qui l'entoure, enduisez-le d'un peu d'huile d'olive et faites-le griller sur une plaque de fonte. Vous pouvez aussi, si vous le préférez, le faire cuire au court-bouillon une dizaine de minutes ; dans ce cas, égouttez-le et émiettez-le grossièrement. L'essentiel, ici, est d'utiliser du thon frais dont l'arôme est incomparable. (A défaut, utilisez du thon en boîte à l'huile d'olive et préparez la vinaigrette avec l'huile de la boîte.)

6. Ouvrez la boîte d'anchois et versez l'huile dans un bol.

7. Essuyez les petits oignons (il est inutile de les peler), coupez-les en quatre et coupez leurs tiges en petits morceaux.

8. Passez les tranches de concombre sous l'eau fraîche pour ôter l'excédent de sel puis séchez-les dans du papier absorbant.

9. Pelez les gousses d'ail, frottez-en le plat de service et, avec un presse-ail, exprimez le jus de l'ail au-dessus du plat. Ajoutez le vinaigre, l'huile d'olive, le sel et le poivre et émulsionnez à l'aide d'un fouet.

10. Ajoutez dans le plat, par couches successives, les haricots verts, les tranches de concombre, les tomates, les poivrons, les œufs, le thon, les anchois et enfin les petits oignons. Remuez délicatement le tout, parsemez les feuilles de basilic et enfin les petites olives noires sur le dessus. Placez au frais jusqu'au moment de servir.

Et pour terminer :
présentez un plateau de fromage de chèvre et offrez un corbeille de fruits frais dont les figues seront la vedette.

Grand aïlloli

Il faut, pour 6 personnes :
1 kg de morue séchée
300 g de blancs de seiche
300 g de bulots (à défaut, des bigorneaux)
1 sachet de court-bouillon
6 œufs
1 kg de petites pommes de terre
6 artichauts poivrade (violets)
3 petits fenouils
3 courgettes
1 petit chou-fleur
500 g de haricots verts sans fils
1 botte de carottes nouvelles
12 oignons blancs
6 tomates de Provence
1 citron
50 g d'olives noires
Gros sel
Pour l'aïlloli :
4 gousses d'ail rose
1 œuf
1 cuil. à café de moutarde forte
4 dl d'huile d'olive vierge
1/2 citron
Sel, poivre

Temps de dessalage : 24 h.
Temps de préparation : 1 h.
Temps de cuisson : 50 à 60 mn.

1. La veille, faites dessaler la morue dans une grande bassine contenant de l'eau froide. Changez l'eau deux ou trois fois.

2. Le lendemain, faites égoutter la morue et coupez-la en gros morceaux. Nettoyez les blancs de seiche, ôtez l'os central qui se trouve à l'intérieur, éliminez, en la décol-lant, la fine peau qui les recouvre et coupez-les en gros morceaux.

3. Préparez le court-bouillon et plongez-y les bulots crus, laissez frémir pendant 15 minutes. Égouttez-les et replacez le liquide de cuisson sur feu doux. Mettez-y alors les morceaux de morue et les blancs de seiche, faites-les pocher pendant 8 à 10 minutes. Égouttez-les. Séchez-les sur du papier absorbant.

4. Faites cuire les œufs pendant 9 minutes dans de l'eau bouillante.

5. Faites cuire séparément tous les légumes (sauf les carottes, les oignons et les tomates qui seront consommés crus). Lavez les pommes de terre et cuisez-les dans leur peau à l'eau bouillante salée pendant 10 à 15 minutes, puis pelez-les et coupez-les en deux ou en quatre selon leur grosseur. Coupez les artichauts aux deux tiers des feuilles, ôtez les feuilles extérieures dures ainsi que les queues, lavez-les puis faites-les cuire dans de l'eau citronnée et salée pendant 15 minutes. Otez les feuilles extérieures des fenouils, coupez les bulbes en gros morceaux puis faites-les blanchir 10 minutes dans de l'eau bouillante salée. N'épluchez pas les courgettes, lavez-les puis coupez-les en tranches de 4 ou 5 millimètres ; faites-les cuire à la vapeur pendant 10 minutes. Détaillez le chou-fleur en bouquets et faites-les cuire pendant 15 minutes dans de l'eau bouillante salée et citronnée. Cassez le bout des haricots et faites-les cuire dans de l'eau bouillante salée et citronnée pendant 10 minutes.

6. Pendant que les légumes cuisent, préparez la sauce aïlloli : épluchez les gousses d'ail et pilez-les dans un mortier ; cassez l'œuf en séparant le blanc du jaune, ajoutez le jaune à la pommade d'ail et battez le blanc en neige bien ferme. Pour cela, ajoutez une pincée de sel. Mélangez bien le jaune, ajoutez la moutarde et montez la sauce comme une mayonnaise avec un fouet métallique en versant l'huile d'olive en minces filets. Lorsque la sauce est bien ferme, ajoutez le jus du demi-citron, salez et poivrez. Au dernier moment, incorporez le blanc en neige en soulevant la masse pour ne pas casser l'appareil.

7. Pelez les carottes et laissez-les entières. Épluchez si nécessaire les oignons mais ne coupez pas les tiges vertes. Lavez les tomates et laissez-les entières.

8. Au moment de servir, égouttez soigneusement les légumes. Écalez les œufs durs, coupez-les en deux dans leur longueur. Sur un grand plat ovale, disposez harmonieusement tous les légumes puis les morceaux de morue, les anneaux de seiche, les bulots et enfin les œufs dont le jaune sera mis en valeur. Quelques olives noires apporteront la touche finale. Servez immédiatement accompagné de la sauce aïlloli. Chacun se servira à son gré, en mélangeant les légumes cuits, les légumes crus, les poissons et les coquillages pour les tremper ensuite dans la sauce juste avant de les déguster.

Brochettes d'agneau « Chachlik »

Photo ci-contre

Il faut, pour 4 personnes :
400 g de gigot d'agneau (ou d'épaule)
4 rognons
4 chipolatas
4 petites tomates roma
4 oignons blancs
Pour la marinade :
1 tasse d'huile d'olive
2 cuil. à soupe de jus de citron
1 cuil. à soupe de vodka
2 gousses d'ail
poivre du moulin
1 branche de thym
1 feuille de laurier

Temps de préparation : 20 mn.
Temps de macération : 2 h.
Temps de cuisson : 6 mn.

1. Préparez la marinade : versez l'huile, le jus de citron et la vodka dans un grand récipient creux. Pelez l'ail et pressez-le, avec l'appareil spécial, au-dessus du plat. Ajoutez quelques tours de moulin de poivre, émiettez le thym et la feuille de laurier, couvrez et laissez en attente à température ambiante.

2. Coupez le gigot en cubes de 2,5 centimètres de côté ; dénervez les rognons (ou mieux faites-le faire par votre tripier) et coupez-les en deux ou laissez-les entiers. Coupez les chipolatas en tronçons de 2 centimètres environ.

3. Mettez tous les morceaux de viande dans la marinade et laissez ainsi macérer pendant au moins 2 heures.

4. Faites chauffer le barbecue ou le gril de votre four. Lavez les tomates et essuyez-les. Laissez les oignons entiers et ne les pelez pas.

5. Garnissez les brochettes en enfilant successivement les différents ingrédients et en les tassant bien les uns contre les autres pour que les saveurs se mêlent bien.

Faites-les griller pendant 3 minutes de chaque côté et salez-les très légèrement juste avant de les déguster.

Variantes

La recette que nous venons de vous donner est un exemple parmi tant d'autres et les variantes sont innombrables. Chacun peut inventer ses recettes mais certains ingrédients se retrouvent comme s'ils étaient « la courroie de transmission » de la famille des brochettes : parmi eux, citons les petits oignons blancs, le lard, les tomates, les poivrons, les champignons, les herbes de Provence, les zestes de citron, etc.

Brochettes de boulettes à la tunisienne

Il faut, pour 4 personnes :
200 g de gigot d'agneau
2 rognons d'agneau
1 belle tranche de foie d'agneau
1 citron
1 verre d'huile d'olive
1 cuil. à café de coriandre moulue
1 cuil. à café de cumin moulu
1/2 cuil. de poivre moulu
Sel, poivre

Temps de préparation : 20 mn.
Temps de macération : 2 h.
Temps de cuisson : 15 mn.

1. Coupez l'agneau en cubes. Parez — nettoyez et dénervez — les rognons et le foie, coupez-les en cubes et placez le tout dans un grand plat. Laissez en attente au frais.

2. Préparez la marinade : pressez le jus du citron au-dessus d'un bol, versez l'huile, ajoutez la coriandre, le cumin, le poivre et le sel et battez le tout au fouet métallique pendant quelques secondes. Arrosez la viande de cette sauce et laissez mariner pendant 2 heures.

3. Égouttez les viandes très soigneusement et mixez-les grossièrement dans le bol d'un mixeur. Façonnez, avec la paume de vos mains, de petites boulettes et, au besoin, malaxez légèrement pour qu'elles forment une masse compacte.

4. Enfilez les boulettes de viande sur les brochettes et faites cuire à la braise pendant un quart d'heure. Retournez-les au moins deux fois pendant la cuisson et badigeonnez-les de leur marinade. Servez-les avec de la ratatouille froide.

Brochettes et Barbecues

Gigot d'agneau au gril

Photo ci-contre

Il faut, pour 6 à 8 personnes :
1 gigot d'agneau de pré-salé de 1,5 kg à 2 kg
1 branche de thym
1 branche de romarin
1 branche d'estragon
2 à 3 feuilles de sauge
2 à 3 feuilles de menthe
6 gousses d'ail rose nouveau
4 cuil. à soupe d'huile d'olive
4 cuil. à soupe de miel d'acacia
Sel, poivre

Temps de préparation : 20 mn.
Temps de macération : 1 h.
Temps de cuisson : 1 h 30.

1. Émiettez le thym et le romarin, effeuillez l'estragon, la sauge et la menthe ; hâchez finement toutes les herbes et mélangez-les intimement ; pelez et hachez les gousses d'ail, mélangez-les au hachis d'herbes, salez et poivrez ; laissez en attente.

2. Essuyez le gigot et pratiquez-y des entailles à l'aide d'un couteau pointu ; introduisez un peu de farce dans chaque entaille et refermez le trou autant que possible en resserrant la chair. Badigeonnez le gigot d'huile d'olive à l'aide d'un pinceau et enveloppez-le dans une feuille d'aluminium ; laissez-le s'imprégner de tous ces aromates pendant 1 heure.

3. Allumez le gril du four ou, mieux, préparez un barbecue. La braise doit être incandescente. Sortez le gigot de la feuille d'aluminium, embrochez-le et laissez-le cuire pendant 1 h 10 en le retournant à deux ou trois reprises. Retirez-le de la braise, posez-le délicatement sur une planche en bois et faites couler doucement le miel d'acacia sur la viande, en le répartissant de toutes parts ; replacez le gigot sous le gril ou sur le barbecue juste le temps (environ 20 minutes) qu'il dore et qu'il « glace » tout en se caramélisant. Au bout d'1 heure et demie de cuisson, il doit être juste rose à l'intérieur.

4. Sortez-le alors et découpez-le directement sur la planche en bois ; servez-le avec une salade de tomates et de poivrons grillés.

Salade de tomates et de poivrons grillés

Il faut, pour 6 à 8 personnes :
4 tomates
2 poivrons rouges
2 poivrons jaunes
2 à 3 cuil. à soupe d'huile d'olive extra-vierge
1 botte de coriandre fraîche
1 cuil. à soupe de jus de citron
3 gousses d'ail
Sel, poivre

Temps de préparation : 15 mn.
Temps de cuisson : 10 mn.

1. Allumez le gril du four ou, mieux, préparez un barbecue. Essuyez les tomates et les poivrons et ôtez leur pédoncule. Faites-les griller sous une flamme vive pendant 10 minutes environ et lorsque leur peau se boursoufle, enveloppez-les dans du papier absorbant, il sera alors très facile de les peler sans se brûler. Ouvrez les tomates et les poivrons en deux. Ôtez les pépins et les parties blanches des poivrons. Pressez les tomates pour en extraire toute leur eau et en éliminer les pépins.

2. Préparez la sauce d'accompagnement ; versez l'huile dans un récipient, ajoutez le jus de citron, le sel et le poivre. Pelez les gousses d'ail et coupez-les en très fines lamelles. Effeuillez la coriandre et ciselez-la très finement. Mélangez-les à la sauce d'accompagnement. Battez légèrement.

3. Tapissez le fond d'une terrine à bords hauts d'une couche de poivrons et hachez grossièrement le reste des poivrons avec les tomates, placez ce hachis sur la couche de poivrons et versez la sauce dessus. Posez le couvercle de la terrine et laissez complètement refroidir. Servez cette salade avec le gigot grillé — et un riz pilaf pour compléter le menu — après l'avoir sortie de la terrine et disposée sur un plat.

Brochettes de fruits de mer sur lit de riz safrané au champagne

Il faut, pour 4 personnes (soit 8 brochettes) :
600 g de lotte
8 gambas
12 moules d'Espagne
4 coquilles Saint-Jacques
8 bulots
Pour la marinade :
2 verres d'huile d'olive
2 verres de vin blanc sec
Le jus de 2 citrons
2 cuil. à soupe de xérès ou de porto
4 gousses d'ail
2 branches de basilic frais
Sel, poivre du moulin
Pour la garniture :
200 g de riz grain long
3 échalotes
30 g de beurre
2 dl de champagne brut
1 dose de safran
1 cuil. à soupe de crème fleurette
Sel, poivre

Temps de marinage : 24 h.
Temps de préparation : 40 mn.
Temps de cuisson : 35 mn.

1. La veille, préparez la marinade : dans un grand récipient creux, versez l'huile d'olive, le vin blanc, le jus des citrons, le xérès ou le porto et mélangez bien le tout. Pelez et émincez l'ail, ciselez finement le basilic et ajoutez-les à la marinade. Salez, poivrez et couvrez le récipient.

2. Préparez tous les fruits de mer : ôtez la peau de la lotte, coupez-la en gros cubes pour obtenir 12 morceaux. Passez-les sous l'eau froide, séchez-les et placez-les dans la marinade. Décortiquez les gambas mais laissez les queues entières. Grattez les moules, faites-les ouvrir rapidement sur feu vif (ou au four à micro-ondes), décoquillez-les et placez-les, ainsi que les gambas, dans la marinade. Ouvrez les coquilles Saint-Jacques, nettoyez-les bien et ne gardez que la chair et le corail, gardez-les entières et placez-les dans la marinade en remuant bien tous les fruits de mer. Décoquillez enfin les bulots, escalopez-les en deux s'ils sont très gros, mettez-les, eux aussi, dans la marinade, couvrez le récipient et laissez ainsi mariner pendant 24 heures en remuant, avec une spatule en bois, de temps à autre.

3. Le lendemain, sortez tous les fruits de mer de la marinade, séchez-les rapidement sur du papier absorbant et enfilez sur des brochettes les morceaux de lotte et les crustacés en les alternant le plus possible. Filtrez la marinade et versez-la dans une casserole.

4. Faites chauffer le gril en fonte (ou, mieux, préparez un barbecue avec des sarments de vigne). Huilez le gril en utilisant un peu de la marinade mise en réserve dans la casserole.

5. Pendant ce temps, préparez le riz : faites fondre le beurre dans une cocotte en fonte et faites-y revenir les échalotes pelées et émincées. Ajoutez alors le riz, remuez bien, versez le champagne, poudrez de safran, salez, poivrez et laissez cuire sur feu vif pendant 5 minutes. Ajoutez un peu d'eau si le liquide s'évapore trop vite, couvrez de nouveau la cocotte et baissez le feu. Laissez cuire jusqu'à ce que le liquide soit complètement absorbé, soit environ encore 10 minutes.

6. Retirez alors la cocotte du feu, ajoutez la crème fraîche, rectifiez l'assaisonnement en sel et en poivre, couvrez et laissez au chaud en attente.

7. Faites griller rapidement les brochettes sur toutes leurs faces (au besoin, ajoutez encore un peu de marinade).

8. Placez la casserole contenant la marinade sur feu moyen et faites-la tiédir.

9. Au moment de servir, disposez le riz en l'étalant dans un grand plat creux préchauffé, posez dessus les brochettes toutes chaudes et servez la marinade en saucière.

Mon conseil : A la place du riz, vous pouvez utiliser du couscous taille moyenne, c'est plus original et c'est également très bon.

Chou farci aux magrets de canard et à la crème de marsala

Il faut, pour 6 personnes :
1 beau chou de Milan
5 ou 6 carottes
2 petits oignons blancs
1 l de bouillon de volaille
Vinaigre
Sel
Pour la farce :
3 magrets de canard
300 g de viandes de porc (échine, lard maigre, jambon)
1 œuf entier + 1 jaune
Sel, poivre
Pour la sauce :
1 os à moelle
1 cuil. à soupe de Maïzena
1 petit verre de marsala (ou de madère, ou de porto)

Temps de préparation : 1 h.
Temps de cuisson : 1 h.

1. Nettoyez parfaitement le chou dans de l'eau froide vinaigrée. Otez les feuilles dures de l'extérieur puis faites-le blanchir dans une grande quantité d'eau bouillante salée pendant 20 minutes. Pelez les oignons et les carottes et ajoutez-les à l'eau de cuisson.

2. Préparez la farce. Décollez la couche de graisse des magrets de canard, puis coupez la chair du canard et les viandes de porc en cubes. Faites fondre la graisse du canard dans une grande poêle et faites-y revenir les cubes de viandes pendant 5 minutes. Retirez-les de la poêle, posez-les sur du papier absorbant et hachez-les grossièrement de sorte qu'il reste des morceaux entiers dans la farce ; salez, poivrez et mettez le tout dans un grand récipient creux. Battez ensemble l'œuf entier et le jaune, mélangez-les soigneusement à la farce du bout des doigts.

3. Plongez l'os à moelle dans une casserole remplie d'eau froide après l'avoir enveloppé dans une mousseline ; portez lentement à ébullition et laissez cuire à petit feu, le temps de préparer la suite de la recette. Écumez de temps à autre.

4. Égouttez le chou et passez-le sous l'eau froide, gardez les carottes et les oignons en réserve. Commencez à écarter doucement les feuilles du chou vers l'extérieur en prenant soin de ne pas les détacher du trognon. Lorsque vous atteignez le petit cœur du chou, retirez-le délicatement et hachez-le assez finement. Mélangez-le à la farce, formez une boule et placez-la au centre, à la place du cœur. Recouvrez la farce avec les feuilles de l'intérieur puis, en allant vers les feuilles de l'extérieur, reconstituez complètement le chou dans sa forme originale. Ficelez-le de façon que les feuilles ne s'écartent pas et qu'elles emprisonnent parfaitement la farce.

5. Faites bouillir 1 litre de bouillon de volaille dans une cocotte allant au four et plongez-y le chou ; faites préchauffer le four à 180° (th. 6).

6. Rangez la cocotte, couverte, dans le four chaud et laissez cuire pendant 30 minutes environ. Le chou étant précuit, le temps de cuisson s'en trouve diminué.

7. Pendant la cuisson du chou, préparez la sauce : retirez l'os à moelle de sa mousseline et grattez la moelle qui se trouve à l'intérieur, placez-la dans un bol ; coupez en petits morceaux les carottes et les oignons gardés en réserve et écrasez bien le tout à la fourchette. Dans une petite casserole, au bain-marie de préférence, sinon, sur feu très doux, mélangez le contenu du bol à la Maïzena délayée dans du marsala. Battez au fouet métallique ou simplement à la spatule en bois. La sauce doit s'épaissir légèrement mais elle ne sera pas homogène, c'est voulu dans la recette, puisque les carottes et la moelle sont juste écrasées à la fourchette. Lorsque la sauce est prête, gardez-la au chaud.

8. Le temps de cuisson écoulé, sortez le chou du four et égouttez-le. Coupez les ficelles qui le retiennent. Après avoir posé le chou sur une grande planche en bois, à l'aide d'un grand couteau à longue lame coupez-le en 6 ou en 8 parts égales et portez-le ainsi sur la table. Servez la sauce en saucière préchauffée.

Potées

Petit salé aux lentilles

Il faut, pour 6 personnes :
600 g de lentilles vertes du Puy
1,5 kg de divers morceaux de porc (échine, lard maigre, palette)
6 saucisses de Montbéliard
1 botte de carottes nouvelles ou 3 grosses carottes
3 oignons
1 clou de girofle
1 bouquet garni
1 branche de sauge
50 g de beurre
Sel, poivre

Temps de trempage des lentilles : 2 h.
Temps de préparation : 30 mn.
Temps de cuisson : 2 h 30 environ.

1. Mettez les lentilles dans un grand récipient creux, couvrez-les d'eau fraîche et laissez-les tremper pendant deux bonnes heures. Changez l'eau une fois ou deux.

2. Passez les viandes sous l'eau fraîche et laissez tremper le lard pendant un quart d'heure.

3. Égouttez les viandes et le lard, placez-les dans une marmite, recouvrez-les d'eau fraîche et laissez-les cuire pendant 1 h 20 ; à ce moment, ajoutez les saucisses et laissez-les cuire, à petit feu, pendant 10 minutes. Les viandes auront alors cuit pendant 1 h 30. Baissez le feu au maximum et laissez frémir, en écumant de temps à autre.

4. Pelez les carottes et les oignons ; coupez les carottes en tronçons si elles sont trop grosses et les oignons en anneaux, sauf un que vous piquez d'un clou de girofle.

5. Égouttez les lentilles dans une grande passoire, passez-les sous l'eau fraîche et mettez-les dans le récipient où cuisent les viandes. Ajoutez-y les carottes, les oignons, l'oignon piqué du clou de girofle et le bouquet garni ; laissez cuire, à tout petit feu, pendant 30 minutes. Les lentilles doivent être juste cuites. Goûtez-les, elles doivent être moelleuses mais non pas molles.

6. Versez le contenu du récipient dans une grande passoire en conservant tout le jus. Une partie servira pour la suite de la recette et le reste pourra être utilisé pour faire un délicieux potage. Coupez chaque viande de porc en 6 beaux morceaux.

7. Faites fondre le beurre dans une grande casserole et mettez-y les saucisses et les viandes ; recouvrez des lentilles, des carottes, des morceaux d'oignons (mais ôtez l'oignon piqué du clou de girofle), de la sauge effeuillée, salez très légèrement et poivrez. Mouillez avec une louche du jus de cuisson, couvrez et laissez cuire de nouveau pendant 20 minutes. Servez bien chaud.

Notre conseil :

Avec le reste du bouillon de cuisson des lentilles, vous pouvez réaliser une excellente recette de soupe aux lentilles :

Il faut, pour 4 personnes :
Le jus de cuisson des lentilles de la recette précédente
3 pommes de terre farineuses
1 avocat bien mûr
1 cuil. à café de jus de citron
100 g de crème fraîche
1 jaune d'œuf
Sel, poivre

1. Faites chauffer le jus des lentilles ; il faut qu'il y en ait 1 litre.

2. Pelez les pommes de terre et lavez-les sous l'eau fraîche. Séchez-les avec du papier aborbant et coupez-les en morceaux. Plongez-les dans le liquide bouillant et laissez-les cuire pendant 15 minutes.

3. Ouvrez l'avocat et coupez-le en deux : ôtez le noyau central et creusez une des moitiés à l'aide d'une cuillère à soupe, coupez la chair en petits dés, arrosez-les de jus de citron. Creusez l'autre moitié et retirez-en également la chair ; coupez-la en morceaux.

4. Dans le bol d'un mixer, mettez la crème fraîche, le jaune d'œuf, les morceaux d'avocat et mixez le tout pendant 20 secondes. La chair obtenue doit être fine et lisse.

5. Égouttez les pommes de terre et passez-les au moulin à légumes, grille fine. Ajoutez au fur et à mesure un peu de liquide de cuisson, jusqu'à obtenir la consistance désirée ; ajoutez la purée d'avocat. Mélangez bien, au besoin, faites réchauffer très doucement et servez immédiatement.

Pot-au-feu

Pot-au-feu de Grand-Maman

Il faut, pour 6 à 8 personnes :
1 kg de jarret de bœuf
500 g de queue de bœuf
1 langue de bœuf (ou de veau)
1 os à moelle
Pour le bouillon :
2 oignons dont 1 piqué de 1 clou de girofle
3 gousses d'ail
1 bouquet garni
Quelques tours de poivre du moulin
Sel
500 g de poireaux
500 g de navets
2 branches de céleri
1 petit chou bien pommé
500 g de carottes
Pour la garniture :
6 pommes de terre
Gros sel
Cornichons
Moutarde de Meaux
Tomates vertes et « cerises » au vinaigre
1 petit pot de beurre salé
6 tranches de pain de campagne

Temps de préparation : 30 mn.
Temps de cuisson : 2 h 30.

1. Préparez les viandes séparément : faites dégorger dans trois eaux différentes le jarret, la queue et la langue, le temps d'éplucher, de laver et de couper en morceaux les poireaux (en tronçons de 3 à 4 centimètres), les navets, les carottes, le céleri et le chou (en 4 gros quartiers).

2. Tous les légumes du bouillon étant préparés, faites blanchir le chou pendant 5 ou 6 minutes dans de l'eau en ébullition puis passez-le sous l'eau froide. Renouvelez l'opération afin de lui retirer toute son âcreté. Gardez tous les légumes au frais, le temps de préparer le bouillon.

3. Faites égoutter les viandes. Coupez la queue aux jointures en 6 ou 8 tronçons. Dénervez le jarret et attachez-le avec une ficelle de cuisine. Faites blanchir la langue afin de pouvoir la peler plus facilement, coupez la partie cornée et ôtez les déchets.

4. Placez toutes les viandes dans un grand faitout et recouvrez-les de 3 litres d'eau froide. Ajoutez le sel, le poivre, l'ail en chemise et le bouquet garni, puis portez lentement à ébullition. Lorsque l'écume remonte à la surface, enlevez-la très fréquemment avec une écumoire. Laissez ainsi cuire, en écumant régulièrement, pendant 1 h 30. A ce moment, soit vous laissez complètement refroidir le pot-au-feu et vous pourrez alors facilement retirer la graisse qui se sera figée au-dessus du bouillon (celui-ci sera alors plus clair, plus léger et plus concentré), soit vous n'en avez pas le temps et vous laissez simplement tiédir le bouillon, juste le temps que la graisse, non figée cette fois, remonte à la surface pour que vous puissiez, toujours à l'aide d'une écumoire, en ôter le maximum et rendre le bouillon le moins gras possible.

5. Amenez à nouveau à ébullition le bouillon et ses viandes et ajoutez à ce moment tous les légumes (sauf les pommes de terre) ainsi que l'os à moelle entouré d'une mousseline. Laissez la cuisson se poursuivre pendant 30 minutes. Au bout de 15 minutes de cuisson, ajoutez les pommes de terre préalablement pelées et coupées en deux.

6. Au moment de servir, présentez sur un grand plat creux les viandes (jarret et langue) coupées en tranches, la queue de bœuf coupée en tronçons. Entourez-les de légumes, posez dessus les pommes de terre et arrosez le tout d'un peu de bouillon brûlant.

7. Faites griller les tranches de pain, tartinez-les de la moelle de bœuf salée et poivrée et portez à table avec le plat contenant la viande et les légumes. Servez avec les divers éléments de la garniture : gros sel, cornichons, moutarde, etc. Ne pas oublier le petit pot de beurre salé.

Et pour terminer ce menu simple et savoureux, présentez une crème renversée au caramel, arrosée d'une fondante crème anglaise.

Pot-au-feu

Pot-au-feu aux quatre viandes

Il faut, pour 8 personnes :
1 poulet de 1,5 kg
1 langue de veau
500 g de plat de côtes
500 g de quasi de veau
1 l de fond de volaille ou de veau (à défaut, tablette de bouillon de poule instantané)
1 oignon piqué de 1 clou de girofle
1 petit bouquet garni (thym, laurier, persil)
Pour la garniture :
500 g de brocolis
500 g de petites asperges
4 tomates ou 8 tomates « cerises »
1 poivron jaune

Temps de préparation : 50 mn.
Temps de cuisson : 1 h 40.

1. Faites parer la langue par votre tripier ; dépouillez les morceaux de plat de côtes et le quasi de sorte qu'il reste le moins de graisse possible. Plongez la langue, le morceau de plat de côtes et le quasi dans de l'eau en ébullition ; laissez ainsi blanchir pendant 30 minutes. Écumez de temps à autre.

2. Retirez les viandes du faitout à l'aide d'une écumoire. Passez-les abondamment sous l'eau froide. Épluchez soigneusement la langue, cela demande un peu de patience et de doigté. Otez toutes les parties cornées.

3. Faites chauffer le fond de veau ou de volaille (ou préparez la tablette de bouillon instantané). Ajoutez le bouquet garni et l'oignon et portez à ébullition.

4. Replacez les viandes dans le faitout vidé de son eau de cuisson. Recouvrez-les du bouillon brûlant et reportez à lente ébullition. Laissez ainsi, à frémissement, pendant 1 heure puis plongez-y le poulet (rajoutez au besoin un peu d'eau), couvrez et laissez cuire encore 45 minutes.

5. Environ 15 minutes avant la fin de la cuisson des viandes, préparez les légumes : nettoyez, épluchez, lavez et séchez les brocolis et les asperges ; lavez les tomates et le poivron et plongez-les dans de l'eau en ébullition; 10 secondes pour les tomates et 1 minute pour le poivron ; ainsi vous pourrez plus facilement les peler.

6. Faites cuire séparément les brocolis pendant 10 minutes, les asperges 15 minutes, en utilisant un peu de bouillon prélevé du récipient où cuisent les viandes. Coupez le poivron en lanières.

7. Lorsque les viandes sont cuites, dressez-les sur un plat creux, après avoir découpé la langue en tranches et la volaille en morceaux ; les morceaux de quasi et de plat de côtes seront très cuits et s'effilocheront d'eux-mêmes. Disposez les légumes bien égouttés tout autour en jouant avec les couleurs : le blanc des asperges, le vert des brocolis, le rouge des tomates et le jaune du poivron. Versez sur le tout quelques louches de bouillon et portez à table immédiatement.

Mon conseil : Pour rendre cette recette encore plus savoureuse, vous pouvez ajouter au bouillon, que vous versez au dernier moment sur les viandes et les légumes, 2 cuillerées à soupe de crème fraîche mélangée à un jaune d'œuf.

Avec les restes d'un pot-au-feu, de nombreuses préparations sont possibles, quelles que soient les viandes utilisées. Dans le cas de notre recette, voici des suggestions pour utiliser les restes de viandes pour le repas du lendemain.

— en entrée :
salade de bœuf aux pommes de terre et aux cornichons ; salade de langues (coupées en fines lanières) aux lentilles et échalotes ; salade de poulet au soja et aux carottes râpées ; salade de veau au riz, au maïs et aux tomates.

— en plat principal :
hachis parmentier (toutes viandes hachées), croquettes, boulettes et bien d'autres encore…

Hachez finement toutes les viandes qui vous restent et mélangez-les à de l'œuf battu, ajoutez de la mie de pain trempée dans du lait puis essorée, du persil finement haché, un peu de sel et de poivre, façonnez en boulettes ou en rouleaux, puis faites frire dans un peu de beurre.

Une autre préparation consiste à aplatir les boulettes puis à les passer dans de la farine, de l'œuf battu et de la chapelure ; faites frire les croquettes panées dans du beurre. Accompagnez-les simplement d'une salade verte bien assaisonnée.

Pot-au-feu

Waterzoï de poulet

Photo ci-contre

Il faut, pour 6 personnes :
1 belle poularde
50 g de beurre
500 g de poireaux
2 branches de céleri
250 g de carottes
250 g de pommes de terre à chair ferme
250 g de crème fraîche
2 jaunes d'œufs
1 citron
Sel, poivre

Temps de préparation : 25 mn.
Temps de cuisson : 1 h 10.

1. Faites fondre le beurre dans un grand faitout et faites-y revenir la poularde sur feu très doux.

2. Ne gardez que le blanc des poireaux et émincez-les très finement. Pelez le céleri et coupez les branches en petits morceaux. Pelez les carottes et coupez-les en lanières.

3. Retirez la poularde du faitout et, à sa place, mettez les légumes que vous venez de préparer. Salez, poivrez, replacez la poularde, couvrez d'eau juste à hauteur et posez un couvercle à échappement. Laissez cuire, à feu très doux, pendant au moins 1 heure. Environ 20 minutes avant la fin de la cuisson, ajoutez les pommes de terre pelées, séchées et coupées en quatre.

4. D'autre part, mélangez dans un bol la crème fraîche, les jaunes d'œufs et le jus du citron ; salez, poivrez, gardez au frais.

5. En fin de cuisson, retirez la poularde du faitout et coupez-la en morceaux. A l'aide d'une écumoire, sortez les légumes et placez-les au chaud le temps de faire réduire le bouillon, sur feu vif.

6. Au moment de servir, disposez les légumes sur le fond du plat, posez dessus les morceaux de poularde et replacez au four éteint mais encore chaud. Prélevez l'équivalent de deux grands verres de bouillon réduit, ajoutez-le à la crème fraîche et mélangez bien. Versez cette sauce sur la poularde et ses légumes. Servez de suite.

Mon conseil : Filtrez le bouillon restant, laissez-le refroidir et emplissez-en plusieurs pots de yaourt ; fermez et placez au congélateur. Utilisez cet excellent consommé de volaille soit pour la confection de sauces, soit simplement en potage, le soir, avec du pain de campagne beurré.

Voici une recette proche de la précédente mais à base de poissons cette fois. Toutes deux sont originaires de la cuisine flamande.

Waterzoï de poissons

Il faut, pour 6 personnes :
1 queue de lotte, 1 sole
500 g de poissons de rivière
1 l de moules
50 g de beurre
1 bouquet garni
2 feuilles de sauge
2 branches de céleri
4 blancs de poireaux
2 oignons
2 carottes
1/2 l de fumet de poisson
2 dl de crème fraîche
Sel, poivre

Temps de préparation : 25 mn.
Temps de cuisson : 40 mn.

1. Préparez tous les poissons, retirez-en la peau, ôtez le maximum d'arêtes et coupez-les en gros morceaux. Lavez et grattez les moules, faites-les ouvrir dans une cocotte couverte.

2. Coupez en julienne le céleri, les poireaux et les carottes, puis hachez finement les oignons.

3. Faites fondre le beurre dans une cocotte et ajoutez-y les oignons, les légumes, le bouquet garni et la sauge. Recouvrez du fumet et laissez mijoter pendant 15 minutes.

4. Faites égoutter les moules et versez leur jus dans la cocotte. Ajoutez tous les poissons et laissez mijoter pendant 15 minutes encore.

5. Sortez alors les poissons avec une écumoire et gardez-les au chaud. Faites égoutter les légumes et gardez-les au chaud également. Faites réduire le liquide de cuisson sur feu vif jusqu'à ce qu'il n'en reste que la moitié, ajoutez la crème puis remettez-y les légumes, les moules et les poissons. Servez immédiatement.

Bouillabaisse

Photo pages suivantes

Il existe de nombreuses variétés de bouillabaisse et chaque Provençal prétend faire la recette authentique. Celle que nous vous proposons est une des recettes traditionnelles telle que l'on peut la déguster sur le port de Marseille...

Il faut, pour 6 personnes :
2,5 kg de différents poissons (par exemple rascasses, grondins, vieille, congre, St-Pierre, etc.
1 l de moules
3 oignons
6 gousses d'ail
1 verre d'huile d'olive
1 clou de girofle
2 belles tomates bien mûres
1 brin de fenouil
1 feuille de laurier
2 branches de thym
3 l de court-bouillon
1 pincée de safran
2 cuil. à soupe de persil haché
6 tranches de pain de campagne
1 kg de pommes de terre
Sel, poivre
Pour la sauce rouille :
8 gousses d'ail
1 piment
1 pincée de safran
8 cuil. à soupe d'huile d'olive vierge
80 g de mie de pain
3 cuil. à soupe de bouillon de la bouillabaisse
Sel, poivre de Cayenne

Temps de préparation : 30 mn.

Temps de marinade : 2 h.
Temps de cuisson : 30 mn.

1. Préparez tous les poissons : écaillez-les, videz-les, coupez-les en tronçons s'ils sont très gros et séchez-les sur un linge propre. Grattez les moules, ébarbez-les et laissez-les en attente.

2. Préparez la marinade : pelez les oignons et l'ail, émincez-les. Dans une grande marmite, versez l'huile d'olive, ajoutez le clou de girofle, le safran, le fenouil (pelé et coupé en tronçons), le laurier, le thym, et déposez-y tous les morceaux de poissons mais pas les moules. Laissez ainsi mariner pendant 2 heures.

3. Plongez les tomates pendant 10 secondes dans de l'eau en ébullition et pelez-les ; ouvrez-les en deux et pressez-les pour en ôter les pépins. Pelez les pommes de terre et lavez-les. Coupez-les en deux ou en quatre selon leur taille.

4. Les poissons ayant mariné 2 heures, couvrez-les de court-bouillon juste à hauteur, ajoutez les pommes de terre et portez sur feu vif. Laissez cuire ainsi pendant 10 minutes.

5. A ce moment, ajoutez les moules et laissez la cuisson se poursuivre pendant 5 minutes. Lorsque les moules sont ouvertes, arrêtez la cuisson.

6. Sortez très délicatement les poissons, les moules et les pommes de terre à l'aide d'une écumoire et déposez-les dans un grand plat creux. Laissez en attente au chaud.

7. Passez le bouillon au tamis et replacez-le 10 minutes environ sur le feu, salez, poivrez.

8. Pendant ce temps, préparez la rouille : pelez l'ail et pilez-le au mortier, avec le piment, dont vous aurez ôté les pépins. Faites tremper la mie de pain dans 3 cuillerées à soupe du bouillon de la bouillabaisse, essorez-la et ajoutez-la au contenu du mortier. Pilez bien le tout, ajoutez le safran, le sel et le poivre de Cayenne, et montez la sauce, au fouet métallique, avec l'huile d'olive comme pour faire une mayonnaise. Ajoutez 2 ou 3 cuillerées à soupe de bouillon, à la fin, pour « détendre » un peu la sauce. Goûtez et rectifiez l'assaisonnement qui doit être « corsé ».

9. Faites griller rapidement les tranches de pain de campagne sous le gril ou au four.

10. Versez le bouillon légèrement réduit sur les poissons, parsemez le persil haché et servez la bouillabaisse avec les tranches de pain grillé et la sauce rouille.

Cotriade

Cette soupe de poissons du littoral breton se fait avec toutes sortes de poissons à chair ferme ou tendre, des crustacés et des coquillages ; il en faut au moins 1,5 kg pour 6 personnes.

Il faut, pour 6 personnes :
1,5 kg de poissons variés (par exemple 2 merlans, 2 maquereaux, 6 sardines, 1 morceau de congre, 3 grondins, 1 vieille, etc.)
1,5 kg de coquillages et crustacés (moules, coques, étrilles, crevettes, etc.)
50 g de beurre ou de saindoux
1 bouquet garni (thym, laurier, fenouil)
1 branche de céleri
2 oignons
2 gousses d'ail
3 poireaux
500 g de pommes de terre
6 carottes
Cerfeuil, ciboulette
6 tranches de pain de campagne
Beurre demi-sel
Sel, poivre de Cayenne

Temps de préparation : 30 mn.
Temps de cuisson : 45 mn.

1. Préparez tous les poissons ; écaillez-les, lavez-les, videz-les, gardez les parures pour le fumet, séchez-les ; coupez les gros poissons en tronçons et levez les filets des poissons plats. Laissez au frais en attente.

2. Préparez tous les coquillages et les crustacés ; grattez les mou-les, ébarbez-les et nettoyez-les sous l'eau fraîche avec les coques, les étrilles, les crevettes, etc. Mettez-les également au frais.

3. Préparez tous les légumes ; pelez le céleri, les oignons et l'ail ; émincez-les finement. Nettoyez les poireaux et ne gardez que les blancs, coupez-les en gros tronçons. Pelez les pommes de terre et coupez-les en deux ou en quatre, selon leur taille. Pelez les carottes et coupez-les en rondelles.

4. Faites fondre le beurre ou le saindoux dans une grande marmite et faites-y revenir le hachis d'ail, d'oignons et de céleri ; lorsqu'il devient transparent, ajoutez les parures de poissons et le bouquet garni, mouillez avec 3 litres d'eau, salez, poivrez et faites cuire ce fumet pendant 30 minutes, non couvert, sur feu vif.

5. Au bout de ce temps, le fumet doit être bien réduit. Passez-le au tamis et pressez bien pour en exprimer tous les sucs.

6. Replacez ce bouillon sur le feu et faites-y cuire les pommes de terre pendant 5 minutes, puis ajoutez les poireaux et les carottes et laissez la cuisson se poursuivre pendant 10 minutes.

7. Lorsque les légumes ont cuit le temps indiqué, ajoutez les morceaux de poissons à chair ferme et, 5 minutes plus tard, les poissons à chair tendre, les coquillages et les crustacés. Laissez encore cuire pendant 10 minutes.

8. Faites griller rapidement les tranches de pain de campagne sous le gril ou au four.

9. Sortez délicatement les poissons, les crustacés et les légumes à l'aide d'une écumoire et déposez-les sur un grand plat creux. Laissez en attente au chaud.

10. Replacez le bouillon sur le feu et faites-le réduire pendant 5 minutes. Goûtez-le et rectifiez l'assaisonnement si nécessaire. Filtrez-le et reversez-le sur les poissons.

11. Lavez et ciselez finement la ciboulette et le cerfeuil, parsemez-en la cotriade que vous servez accompagnée des tranches de pain grillé et du beurre demi-sel.

Variante :

De même que pour la bouillabaisse, de nombreuses interprétations sont possibles : certains n'y mettent que des poissons et pas du tout de coquillages, d'autres y ajoutent des petits homards, certains la préfèrent avec du safran, d'autres, avec du poivre de Cayenne. Quel que soit votre goût, utilisez de toute façon des produits très frais — le poissonnier vous renseignera sur la pêche de la nuit — et laissez libre cours à votre imagination.

Gratinée ou soupe à l'oignon

Il faut, pour 6 personnes :
350 g d'oignons
1 cuil. à soupe de Maïzena
60 g de beurre
1,5 l de bouillon gras
4 cuil. à soupe de crème fraîche
200 g de fromage d'Emmenthal fraîchement râpé
6 tranches de pain de campagne
Sel, poivre

Temps de préparation : 20 mn.
Temps de cuisson : 30 mn.

1. Pelez les oignons et émincez-les en fins anneaux.

2. Faites fondre le beurre dans une grande casserole et faites-y revenir les oignons, sur feu doux, jusqu'à ce qu'ils deviennent blonds. Ajoutez la Maïzena, en remuant avec une cuillère en bois et laissez cuire pendant 2 ou 3 minutes jusqu'à ce que la farine devienne blonde elle-même. Versez alors le bouillon et laissez cuire 20 minutes en remuant souvent pour éviter les grumeaux.

3. Ajoutez la crème fraîche, salez, poivrez et mélangez bien ; versez la soupe à l'aide d'une louche dans des bols individuels ou dans une grande soupière en terre ou en porcelaine à feu.

4. Faites dorer les tranches de pain de campagne sous le gril du four et mettez-en une dans chaque bol contenant la soupe. Recouvrez-les généreusement d'une belle couche de fromage râpé et faites-les gratiner à four très chaud (th. 9) jusqu'à ce que le dessus soit bien doré. Servez dès la sortie du four.

Gratinée au roquefort et aux noix

Photo ci-contre

Il faut, pour 6 personnes :
6 oignons
60 g de beurre
1,5 l de bouillon gras
100 g de roquefort
50 g de cerneaux de noix
1 jaune d'œuf
100 g de crème fraîche
1 verre à liqueur de porto (ou de madère)
6 tranches de pain de campagne
50 g de gruyère fraîchement râpé
Sel, poivre

Temps de préparation : 20 mn.
Temps de cuisson : 35 mn.

1. Pelez les oignons et émincez-les finement. Faites fondre le beurre dans une grande casserole et faites-y revenir les oignons jusqu'à ce qu'ils blondissent. Versez le bouillon, remuez bien avec une spatule en bois et laissez cuire pendant 15 minutes.

2. Dans le bol d'un mixer, mettez les cerneaux de noix, le roquefort grossièrement émietté, la crème fraîche, le jaune d'œuf, et le porto. Mixez pendant 20 secondes pour obtenir une pâte lisse et homogène. Salez, poivrez, ajoutez une louche de bouillon, mixez de nouveau pendant 10 secondes et versez ce mélange dans le bouillon qui est en train de cuire. Laissez mijoter pendant 10 minutes.

3. Allumez le gril du four et faites-y dorer les tranches de pain, réservez-les au chaud.

4. Versez le potage dans des bols individuels ou dans une grande soupière en terre ou en porcelaine à feu, posez dessus une tranche de pain grillé, recouvrez de fromage râpé et faites gratiner (th. 9) pendant 5 minutes. La surface doit être bien dorée à la sortie du four.

Notre conseil : Si vous n'aimez pas la texture des oignons, passez le potage au mixer pendant quelques secondes puis filtrez-le dans un tamis chinois avant de le répartir dans des bols individuels.

Choucroutes

Choucroute à l'alsacienne

Photo ci-contre

Il faut, pour 8 personnes :
1,5 kg de choucroute crue
50 g de saindoux ou d'huile
20 cl de bouillon de volaille
20 cl de vin blanc d'Alsace (riesling ou sylvaner)
1 cuil. à café de baies de genièvre
3 feuilles de laurier
1 branche de thym
2 clous de girofle
1 cuil. à café de cumin
3 pommes de terre à chair ferme et de taille moyenne
Sel, poivre
Pour la garniture :
8 saucisses de Strasbourg
400 g de lard fumé maigre
800 g de filet de porc fumé
3 saucisses au foie

Temps de préparation : 25 mn.
Temps de cuisson : 2 h 30 à 3 h.

1. Lavez la choucroute à grande eau et essorez-la soigneusement. Renouvelez l'opération plusieurs fois si nécessaire. Séchez la choucroute dans un grand linge propre en la tapotant légèrement.

2. Faites fondre le saindoux dans un grand faitout et ajoutez-y la choucroute ; mouillez avec le bouillon de volaille et le vin blanc et aromatisez avec le genièvre, le laurier, le thym, les clous de girofle et enfin le cumin ; salez, poivrez, couvrez et laissez cuire sur feu doux pendant 1 h 30.

3. Ajoutez alors le morceau de lard et le filet de porc ; laissez cuire encore pendant 1 heure, toujours sur feu doux, puis ajoutez les saucisses de Strasbourg et les saucisses au foie. Pelez les pommes de terre, laissez-les entières et posez-les sur la choucroute, couvrez de nouveau et laissez cuire encore 30 minutes. La choucroute est prête lorsque les pommes de terre sont tendres.

4. Au moment de servir, faites préchauffer un grand plat creux ; disposez en dôme la choucroute, posez autour les saucisses et le lard coupé en gros morceaux ; tranchez le filet de porc et répartissez-le entre lard et saucisses puis posez enfin les pommes de terre entières dans les espaces libres. Servez immédiatement.

Restons en Alsace, voici une autre recette typique de cette région :

Backenofe

Il faut, pour 6 personnes:
500 g d'épaule de mouton
500 g d'épaule de porc
1 oignon piqué de 1 clou de girofle
1 oignon haché
2 gousses d'ail écrasées
1 carotte coupée en rondelles
1 bouquet garni
1/2 l de vin blanc d'Alsace
1 kg de pommes de terre
250 g d'oignons
50 g de saindoux
Sel, poivre

Temps de marinade : 24 h.

Temps de préparation : 35 mn.
Temps de cuisson : 4 h.

1. La veille, coupez la viande en gros cubes et mettez-la à mariner dans un grand plat creux avec l'oignon, l'ail, la carotte, le bouquet garni et le vin blanc.

2. Le lendemain, épluchez et coupez en rondelles les pommes de terre et les oignons. Faites fondre le saindoux dans une cocotte allant au four (ou mieux une marmite de terre) puis déposez-y une couche de pommes de terre, une couche de viande égouttée, une couche d'oignons, jusqu'à épuisement des ingrédients en salant et poivrant au fur et à mesure. Terminez par une couche de pommes de terre.

3. Égouttez la marinade, filtrez-la et versez-la dans la cocotte à mi-hauteur. Couvrez la cocotte en la fermant hermétiquement avec de la farine délayée dans de l'eau froide et roulée en boudin qui servira à « coller » le couvercle.

4. Allumez le four (th. 3) et faites-y cuire le backenofe pendant 4 heures.

L'origine de cette recette remonte au mode de vie traditionnel dans les campagnes ; les paysans, en partant aux champs le matin, portaient la terrine chez le boulanger pour qu'il la fasse cuire dans son four. Ils la reprenaient le soir après le travail ; elle était prête à être servie.

Choucroutes

Choucroute aux fruits de mer

Photo ci-contre

Il faut, pour 8 personnes :
1,5 kg de choucroute crue
200 g de beurre
40 cl de vin blanc d'Alsace
1 cuil. à café de baies de genièvre
4 petits oignons primeurs
2 feuilles de laurier
1 branche de thym
2 clous de girofle
8 petites pommes de terre à chair ferme
4 tomates bien fermes
Sel
Poivre du moulin
Pour la garniture :
800 g à 1 kg de lotte
8 belles langoustines
8 belles coquilles Saint-Jacques
1 belle rascasse ou 8 petits rougets barbets

Temps de préparation : 25 mn.
Temps de cuisson : 1 h 30.

1. Lavez la choucroute dans plusieurs eaux. Essorez-la soigneusement dans un linge propre.

2. Faites fondre le beurre dans un grand faitout et ajoutez-y la choucroute, mouillez avec le vin blanc, mélangez et ajoutez le genièvre, les petits oignons non pelés, le laurier, le thym et les clous de girofle. Salez, poivrez, couvrez et laissez sur feu doux pendant 1 heure.

3. Préparez la garniture : décollez d'un coup sec la peau de la lotte et coupez-la en 8 morceaux. Net-toyez les coquilles Saint-Jacques avec leur corail et pressez-les dans du papier absorbant. Lavez les langoustines. Nettoyez la rascasse ou les rougets barbets ; selon le cas, coupez la rascasse en filets ou gardez les barbets entiers.

4. Pelez et lavez les pommes de terre et les tomates ; laissez-les entières.

5. Lorsque la choucroute a cuit 1 heure, ajoutez les pommes de terre entières puis, 10 minutes plus tard, les morceaux de lotte et les filets de rascasse (ou les barbets entiers). Environ 15 minutes plus tard, ajoutez les langoustines, les coquilles Saint-Jacques et les tomates. Couvrez et laissez mijoter, sur feu doux une dizaine de minutes.

6. Au moment de servir, faites préchauffer un grand plat creux dans un four chaud avant d'y verser la choucroute en dôme ; disposez autour les pommes de terre, les morceaux de lotte et la rascasse (ou les rougets barbets), puis les coquilles Saint-Jacques, les langoustines et enfin les tomates.

Salade de choucroute à l'allemande

Il faut, pour 4 personnes :
500 g de choucroute crue
2 oignons pelés
1 cuil. à soupe d'huile
1/2 verre de vin blanc sec
1/2 l de bouillon de viande
Pour la garniture :
3 gros oignons doux
1 betterave cuite
2 œufs durs
Pour la vinaigrette :
2 grains de genièvre
2 échalotes grises
1 morceau de radis noir
1 cuil. à café de moutarde
1 cuil. à soupe de vinaigre balsamique ou de xérès
4 cuil. à soupe d'huile d'arachide
1 cuil. à soupe de crème fraîche
Sel, poivre

Temps de préparation : 30 mn + temps de refroidissement.
Temps de cuisson : 2 h.

1. Lavez la choucroute à grande eau. Égouttez-la et placez-la dans une casserole bien huilée avec les oignons, couvrez avec le vin blanc, le bouillon, salez et poivrez. Faites cuire 2 heures à petit feu.

2. Lorsque la choucroute est cuite, passez-la sous l'eau froide, égouttez-la et laissez-la refroidir.

3. Préparez la vinaigrette : pulvérisez, dans un mixer, les grains de genièvre, pelez les échalotes et le radis, hachez-les et mélangez le tout dans un grand bol. Ajoutez la moutarde et le vinaigre, fouettez en versant l'huile en mince filet ; ajoutez la crème fraîche, du sel et du poivre. Mélangez cette vinaigrette à la choucroute.

4. Servez la choucroute en dôme, accompagnée des oignons et de la betterave pelés et coupés en petits dés et des œufs écalés et coupés en quartiers.

Sauté de veau, sauce aux fines herbes

Il faut, pour 4 personnes :
500 g de tendron de veau
500 g d'épaule de veau
40 g de beurre
1 verre de vin blanc sec
2 gros oignons
2 carottes
2 poireaux
1 petit bouquet garni (thym, laurier, persil)
Sel, poivre
Pour la garniture :
200 g de champignons
200 g de petits pois
200 g de riz
8 tomates
Pour la sauce :
1 petit pot de crème fraîche (25 cl)
2 jaunes d'œufs
3 cuil. à soupe d'herbes fraîches ciselées (ciboulette, estragon, cerfeuil)
Sel, poivre

Temps de préparation : 30 mn.
Temps de cuisson : 1 h 30.

1. Coupez le veau en gros cubes. Épluchez les oignons, les carottes et les poireaux ; lavez-les, coupez-les en morceaux (même les oignons) et séchez-les avec du papier absorbant.

2. Faites fondre le beurre dans une casserole et faites-y revenir les cubes de viande sur toutes leurs faces ; ajoutez alors les oignons, les carottes et les poireaux et laissez ainsi « suer » pendant quelques minutes ; 3 ou 4 minutes devraient suffire mais cela dépend de la taille des cubes de viande.

3. Ajoutez alors le vin blanc, couvrez d'eau froide, salez, poivrez, plongez le bouquet garni et laissez mijoter pendant 1 h 15 en écumant de temps à autre.

4. Après 1 heure de cuisson de la viande, préparez les légumes : nettoyez les champignons et coupez leur bout terreux, écossez les petits pois ou utilisez des pois surgelés, lavez le riz.

5. Prélevez quelques louches du liquide de cuisson de la viande et faites-y cuire le riz sur feu très doux, ajoutez du liquide au fur et à mesure de l'évaporation ; cela demande environ 15 à 20 minutes, mais goûtez-le pour voir s'il est cuit.

6. Lorsque le riz est prêt, sortez les morceaux de viande de la casserole et gardez-les au chaud dans un grand plat creux. Versez à leur place les petits pois et les champignons et laissez-les cuire pendant 10 minutes ; ajoutez alors les tomates et arrêtez la cuisson.

7. Préparez la sauce d'accompagnement : mélangez la crème fraîche aux deux jaunes d'œufs, ajoutez quelques louches du bouillon de cuisson après l'avoir filtré au chinois, mélangez et faites juste réchauffer ; attention à la liaison de la sauce, il ne faut surtout pas la faire bouillir. Au dernier moment, ajoutez les fines herbes.

8. Recouvrez un grand plat préchauffé d'un lit de riz, ajoutez les viandes, les petits pois, les tomates et les champignons bien égouttés, enfin, arrosez du jus de cuisson. Nappez d'un peu de sauce puis présentez le reste, à part, en saucière.

Mon conseil : Si vous voulez améliorer cette sauce d'accompagnement, faites fondre un bouquet d'oseille dans un peu de beurre, ajoutez une louche de bouillon, mixez le tout, passez-le au chinois, faites-le réchauffer puis ajoutez au dernier moment le mélange crème fraîche et jaunes d'œufs. La couleur de la sauce est, bien sûr, modifiée, elle devient vert clair et a un petit goût acidulé provenant de l'oseille.

Variante : Blanquette de mouton

En Hongrie, une recette similaire se prépare avec de la viande de mouton, à la place du veau. Dans ce cas, il faut 1 kilo de poitrine ou de collier de mouton que vous coupez en gros cubes et que vous préparez exactement comme la blanquette de veau.

Pour que la recette traditionnelle soit respectée, il faudrait utiliser de la crème aigre ; à défaut, ajoutez 1 cuillerée à café de jus de citron à la crème fraîche, cela donne un résultat très proche grâce au goût acidulé du citron.

Navarin d'agneau aux légumes printaniers

Photo ci-contre

Il faut, pour 6 personnes :
1,5 kg de collier d'agneau (ou d'épaule)
2 cuil. à soupe d'huile d'olive
100 g de haricots verts frais ou surgelés
100 g de petits pois frais ou surgelés
100 g de brocolis
2 poireaux
6 asperges vertes
200 g de jeunes carottes
1 botte de petits oignons nouveaux
3 gousses d'ail
1 bouquet de cerfeuil
1 bouquet d'estragon
1 bouquet garni (thym, laurier, persil)
Sel, poivre

Temps de préparation : 30 mn.
Temps de cuisson : 45 mn.

1. Demandez à votre boucher de découper 18 morceaux réguliers dans le collier d'agneau (3 par personne) ou de désosser l'épaule et de la couper en gros cubes ; salez et poivrez tous les morceaux.

2. Dans une cocotte à fond épais, faites chauffer l'huile d'olive et faites-y revenir les morceaux d'agneau sur toutes leurs faces. Ajoutez le bouquet garni et recouvrez d'eau juste à hauteur. Couvrez et laissez mijoter 30 minutes en remuant de temps en temps.

3. Préparez tous les légumes : s'ils sont frais, écossez les petits pois et les haricots verts ; s'ils sont surgelés, faites-les décongeler à température ambiante. Détachez les bouquets de brocolis et nettoyez-les soigneusement. Pelez les carottes uniquement si nécessaire et gardez une partie de leurs fanes. Pelez les asperges ou laissez-les entières et passez-les sous l'eau. Nettoyez les poireaux et découpez-les en fine julienne ou en rondelles. Coupez une partie de la tige verte des oignons et passez rapidement sous l'eau froide, ainsi que les bouquets de cerfeuil et d'estragon. Pelez les gousses d'ail et laissez-les entières.

4. Plongez les légumes (sauf les herbes) dans la cocotte où est en train de cuire la viande et laissez mijoter encore 15 minutes. En tout, la viande aura cuit environ 45 minutes. Goûtez-la, elle doit être fondante mais ne pas s'effilocher.

5. Au moment de servir, versez la viande et les légumes dans un plat creux. Si vous possédez un wok, c'est le moment de l'utiliser ; ajoutez un peu de bouillon de cuisson. Ciselez alors finement le cerfeuil et l'estragon et parsemez-en le plat.

Cette recette n'a rien à voir avec la recette traditionnelle du navarin d'agneau : elle est empruntée à ce que l'on appelle la « nouvelle cuisine », et a été adaptée pour en faire une recette printanière, d'où l'utilisation de légumes nouveaux. La version « officielle», plus appréciée en hiver, se prépare toujours avec des navets. C'est ce légume qui constituait à l'origine l'essentiel du plat et qui a donné son nom — quelque peu déformé — à la recette.

Ce sont les légumes utilisés qui font la principale différence entre les recettes.

Navarin d'agneau classique

La viande est la même et se prépare comme indiqué ci-dessous, mais les légumes utilisés sont :

20 petits oignons grelots
500 g de pommes de terre
250 g de carottes
250 g de navets
8 petites tomates
1 bouquet garni

1. Faites dorer la viande dans une grande cocotte et saupoudrez de quelques pincées de sucre. Salez et poivrez ; elle va caraméliser à la cuisson. Ajoutez 2 cuillerées à soupe de farine, remuez et mouillez avec du bouillon de viande chaud. Amenez à l'ébullition et laissez mijoter 30 minutes.

2. Pelez les pommes de terre, les carottes et les navets ; coupez le tout en morceaux. L'idéal serait de les « tourner », c'est-à-dire de leur donner à tous la même taille et de les façonner, à l'aide d'un couteau, en une jolie forme arrondie.

3. Pelez les oignons et faites-les rissoler dans 20 grammes de beurre.

4. Ajoutez tous les légumes dans la cocotte, couvrez et laissez cuire 30 minutes à très petits bouillons.

Râble de lièvre aux trompettes-de-la-mort et aux spätzle

Il faut, pour 6 personnes :
2 râbles de lièvre (environ 1,5 kg)
2 foies de lièvres
6 dl de sang de lièvre
30 g de beurre
2 cuil. à soupe d'huile
2 cuil. à soupe de farine
200 g de trompettes-de-la-mort
Une noix de beurre
1 gousse d'ail
500 g de spätzle (pâtes alsaciennes)
1 bouquet de cerfeuil
Sel, poivre
Pour la marinade :
1 l de très bon vin rouge (bourgogne)
2 verres d'huile d'arachide
3 échalotes
2 carottes
1 branche de céleri
1 zeste d'orange
1 petit bouquet garni
2 clous de girofle
6 grains de genièvre
Sel, poivre

Temps de marinade : 24 h.
Temps de préparation : 30 mn.
Temps de cuisson : 55 mn.

1. Au moins trois jours à l'avance, commandez à votre volailler les râbles, les foies et le sang de lièvre.

2. La veille de la préparation, faites la marinade : versez le vin — sauf deux verres — et l'huile dans un grand saladier. Pelez les échalotes, les carottes et la branche de céleri, coupez le tout en petites rondelles que vous versez dans la marinade. Ajoutez alors le zeste d'orange, le bouquet garni, les clous de girofle et enfin le genièvre ; salez et poivrez, remuez bien le tout avec une spatule en bois.

3. Désossez les râbles de lièvre (ou faites-le faire par votre volailler) et coupez-les en 18 morceaux réguliers (3 par personne). Plongez-les dans la marinade, elle doit juste les recouvrir. Posez un couvercle sur le saladier et placez-le au frais (mais pas au réfrigérateur) pendant 24 heures.

4. Le même jour, versez le sang dans un grand bol, ajoutez les deux verres de vin mis en attente (pour éviter que le sang ne coagule), mélangez, posez les foies de lièvre dans ce liquide et couvrez le bol ; placez-le au frais pour 24 heures également.

5. Le jour de la préparation, sortez les morceaux de râble de la marinade et séchez-les sur du papier absorbant. Passez la marinade dans un tamis et conservez le jus dans un récipient creux.

6. Allumez le four, (th. 7). Dans une grande cocotte (en fonte de préférence), faites chauffer le beurre et l'huile sur feu vif et faites-y dorer les morceaux de lièvre sur toutes leurs faces. Lorsqu'ils sont légèrement saisis, saupoudrez de farine, remuez à la spatule en bois, salez, poivrez et baissez alors le feu ; remuez le tout de temps en temps.

7. Au bout de 10 minutes environ, les râbles doivent être légèrement croustillants, éteignez le feu, couvrez la cocotte, glissez-la dans le four et laissez cuire pendant un quart d'heure.

8. Pendant ce temps, sortez les foies de leur marinade, gardez le sang en attente ; passez les foies au mixer jusqu'à les réduire en fine purée, versez-la dans le sang réservé, mélangez bien et versez le tout dans la marinade où a séjourné le lièvre.

9. Éteignez le four mais laissez-y la cocotte couverte, les râbles vont reposer au chaud.

10. Versez la marinade dans une grande casserole et faites réduire le liquide sur feu vif jusqu'à ce qu'il n'en reste plus que la moitié.

11. Nettoyez les champignons (sans les laver de préférence) et faites-les revenir rapidement dans un peu de beurre chaud ; pelez l'ail et pressez-le sur les champignons.

12. Préparez les spätzle. Portez 1 litre d'eau salée à ébullition et plongez-y les spätzle. Au bout de 5 à 7 minutes environ, elles sont cuites. Sortez-les, faites-les égoutter dans une passoire et disposez-les sur un plat creux préchauffé. Ajoutez alors les morceaux de lièvre, la sauce marinade toute chaude et les champignons légèrement grillés.

13. Ciselez finement le bouquet de cerfeuil et répartissez les pluches sur le plat. Servez de suite.

Poule-au-pot sauce sabayon

Il faut, pour 4 personnes :
1 belle poulette de Bresse coupée en morceaux
1 bouquet garni (thym, laurier, persil)
1 oignon piqué de 1 clou de girofle
2 carottes
2 branches de céleri
1 poireau
2 feuilles de chou
Sel, poivre
Pour la garniture :
200 g de riz basmati
10 petits oignons blancs
200 g de petits pois frais
10 petites carottes « de printemps »
20 g de beurre
Pour la sauce sabayon :
100 g de Fjord (ou mélange de fromage blanc et de crème fraîche)
1 petit verre de porto
2 jaunes d'œufs
2 cuil. à soupe de cerfeuil haché

Temps de préparation : 1 h.
Temps de cuisson : 1 h 15.

1. Séparez les cuisses et les blancs de la poulette et gardez les abattis et la carcasse pour le bouillon. Otez la peau des cuisses et des blancs et mettez-les au frais.

2. Dans un grand faitout, mettez les abattis et la carcasse, le bouquet garni, l'oignon. Couvrez légèrement d'eau froide, portez doucement à ébullition en écumant de temps à autre.

3. Pendant ce temps, pelez les carottes et les branches de céleri ; nettoyez le poireau et les feuilles de chou ; retirez les côtes dures des feuilles pour n'en garder que la partie tendre. Coupez les carottes, le céleri et les poireaux en tronçons de 1 centimètre de largeur. Cassez grossièrement les feuilles de chou et faites-les blanchir pendant 1 à 2 minutes dans de l'eau frémissante pour en ôter l'âcreté. Plongez tous ces légumes dans le liquide du faitout, salez, poivrez et laissez cuire à tout petits bouillons pendant 45 minutes. Écumez de temps à autre et ne couvrez pas le récipient. Veillez à ce qu'il reste toujours suffisamment de bouillon dans le faitout et, au besoin, ajoutez de l'eau.

4. Au bout de 45 minutes de cuisson, versez le contenu du faitout dans une passoire et recueillez le jus de cuisson ; laissez-le tiédir pour pouvoir plus facilement le dégraisser.

5. Séparez le liquide en deux parties égales et faites cuire le riz — après l'avoir bien lavé — dans une casserole contenant la moitié du jus de cuisson pendant 15 à 20 minutes : il faut qu'il reste légèrement « croquant ». Plongez les cuisses et les blancs de poulette dans l'autre moitié du jus et faites-les cuire pendant 20 minutes environ, sans couvrir et en écumant de temps à autre.

6. Lorsque le riz est cuit, couvrez-le et laissez-le continuer de gonfler sans cuisson. Nettoyez les petits pois et écossez-les. Pelez les carottes et « tournez-les », c'est-à-dire essayez de leur donner une même forme arrondie et une même taille. Pelez si nécessaire les petits oignons blancs (en général, s'ils sont très frais, c'est inutile).

7. Faites fondre le beurre dans une casserole et ajoutez les carottes, les petits pois et les oignons, couvrez d'eau à mi-hauteur et laissez cuire 7 à 10 minutes. Si vous possédez un four à micro-ondes, c'est le moment de l'utiliser...

8. Préparez la sauce sabayon : mélangez, dans une petite casserole, le Fjord (ou le mélange fromage blanc et crème fraîche), les jaunes d'œufs et le porto. Placez sur feu doux et fouettez pendant quelques secondes. Ajoutez alors le reste du jus de cuisson des cuisses et des blancs de la volaille, fouettez encore quelques minutes pour que la sauce soit bien onctueuse et versez-la dans une saucière ébouillantée. Gardez-la au chaud.

9. Étalez le riz dans un plat préchauffé, posez dessus les cuisses et les blancs, entourez-les des carottes, des petits pois et des oignons et servez accompagné de la sauce sabayon à laquelle vous aurez ajouté le cerfeuil.

53

Poule farcie

Il faut, pour 6 personnes :
1 poule de 2 kg environ avec son foie
Pour la farce :
6 cuil. à soupe de persil haché
2 cuil. à soupe de céleri branche haché
2 cuil. à soupe de ciboulette hachée
1 cuil. à café de thum effeuillé
1 gousse d'ail
2 échalotes
3 tranches de pain de mie rassises
1 verre de lait
3 tranches de jambon cru
1 foie de volaille
1 œuf
30 g de beurre
Sel, poivre
Pour la garniture :
8 petits poireaux nouveaux
8 petits navets
1 cœur de céleri-branche
8 petites carottes nouvelles
8 pommes de terre
1 bouquet garni
1 citron
Sel, poivre

Temps de préparation : 45 mn.
Temps de cuisson : 1 h 25.

1. Préparez la farce : mélangez dans un grand récipient toutes les herbes hachées (persil, céleri, ciboulette, thym) ; pelez l'ail et les échalotes, hachez-les, ajoutez-les aux herbes, salez, poivrez.

2. Faites tremper la mie de pain dans le lait juste le temps qu'elle ramollisse puis pressez-la entre vos mains pour l'égoutter. Mêlez-la aux ingrédients de la farce et mélangez bien le tout à la fourchette.

3. Hachez le jambon que vous aurez, au préalable, bien découenné. Faites chauffer une noix de beurre dans une poêle et faites-y revenir le jambon pendant 2 ou 3 minutes sur feu vif. Laissez en attente.

4. Faites raidir le foie de la volaille dans une autre poêle sur feu vif avec le reste du beurre pendant 2 minutes puis hachez-le menu. Mélangez alors le jambon, le foie et les autres ingrédients de la farce jusqu'à ce que vous obteniez une pâte homogène ; battez l'œuf en omelette et mélangez-le également à la farce. Malaxez bien le tout et formez une boule. Laissez en attente.

5. Salez et poivrez légèrement la volaille, à l'intérieur et à l'extérieur ; introduisez la farce par petites portions et tassez bien vers le fond pour qu'elle reste bien en une boule au moment où vous la sortirez. Cousez l'orifice avec du fil de cuisine, rabattez la peau du cou et ficelez-la en tous sens pour que les abattis ne dépassent pas. Coupez le citron en deux et frottez-en la volaille.

6. Posez la poule dans une grande marmite, recouvrez-la d'eau froide, ajoutez le bouquet garni et portez à lente ébullition. Laissez cuire pendant 1 h 15 en écumant de temps à autre.

7. Préparez tous les ingrédients de la garniture : nettoyez les poireaux et coupez-les en gros tronçons. Pelez tous les autres légumes et coupez-les en gros morceaux ou laissez-les entiers si ils sont de petite taille.

8. Lorsque la poule a cuit, jetez les navets dans le bouillon puis les carottes, le céleri et les poireaux ; laissez cuire 15 minutes puis ajoutez les pommes de terre et laissez encore 15 minutes.

9. Au bout d'1 h 45 environ, la poule doit être cuite ; sortez-la de la marmite, égouttez-la et posez-la sur une planche ; coupez les fils de cuisine et procédez au découpage : commencez par les cuisses puis les ailes et enfin « levez » les blancs en introduisant la pointe d'un couteau le long de la colonne vertébrale.

10. Sortez la farce (cela est facilité par le fait que la cage thoracique peut être défoncée puisqu'elle est inutilisable) et coupez-la en tranches.

11. Sortez les légumes du bouillon, égouttez-les et présentez-les autour des morceaux de poule et des rondelles de farce. Servez accompagné de cornichons et de gros sel.

Notre conseil : Laissez refroidir le bouillon, pour pouvoir facilement le dégraisser avec une écumoire. Dégustez-le bien chaud le lendemain.

Pochouse

C'est une matelote bourguignonne qui se prépare obligatoire-
ment avec des poissons d'eau
douce et du vin blanc.

Il faut, pour 6 personnes :
2 kg de poissons d'eau douce (brochet, carpe, gardon, truite, tanche, perche, anguille, etc.)
2 gros oignons
2 gousses d'ail
10 g de beurre
1/2 bouteille de vin blanc sec (bourgogne aligoté)
1 bouquet garni (thym, laurier, céleri)
6 tranches de pain de campagne
2 gousses d'ail
1 kg de pommes de terre cuites à l'anglaise
Sel, poivre
Pour la sauce :
30 g de beurre
2 cuil. à soupe de farine
150 g de crème fraîche
2 jaunes d'œufs

Temps de préparation : 30 mn.
Temps de cuisson : 45 mn.

1. Préparez tous les poissons ;
lavez-les, videz-les, séchez-les et
coupez-les en gros tronçons. Conservez les têtes et les queues.

2. Pelez les oignons et l'ail,
hachez-les très finement. Dans
une grande cocotte, faites fondre
10 g de beurre et faites-y revenir le
hachis jusqu'à ce qu'il devienne
translucide. Ajoutez alors les parures des différents poissons, le bouquet garni, mouillez avec le vin
blanc, salez, poivrez et couvrez.
Laissez cuire 30 minutes environ.

3. Pendant ce temps, préparez le
beurre manié ; ramollissez le
beurre en l'écrasant avec une fourchette, incorporez-y la farine et
travaillez l'ensemble jusqu'à ce
que vous obteniez une pommade
bien homogène. Mettez en attente
au frais.

4. Lorsque le fumet a cuit le
temps indiqué, passez-le au tamis,
en pressant bien les éléments pour
en exprimer tous les sucs et
replacez-le sur feu vif, sans couvrir, cette fois. Laissez encore
réduire pendant 10 minutes.
Ajoutez alors le beurre manié et
portez de nouveau à douce ébullition, en battant légèrement.

5. Faites pocher les morceaux de
poissons dans cette sauce pendant
un quart d'heure. Lorsqu'ils sont
cuits, sortez-les délicatement avec
une écumoire et disposez-les dans
un grand plat creux préchauffé.

6. Mélangez la crème fraîche et
les jaunes d'œufs, salez, poivrez et
versez cette crème dans la sauce
bouillante ; laissez quelques minutes sur le feu, juste pour chauffer,
mais attention à ne pas faire coa-
guler les jaunes d'œufs.

7. Faites griller les tranches de
pain de mie sous le gril ou au four.
Pelez l'ail, coupez-le en deux et
frottez-en le pain grillé.

8. Versez la sauce sur les poissons et servez de suite, avec les
tranches de pain aillées et les pommes de terre toutes chaudes.

La même recette peut se réaliser
avec du vin rouge, à quelques dif-
férences près, cela devient alors
une

« Meurette de poissons » :

Il faut, en plus des ingrédients pré-
cédemment indiqués, 150 g de
lard de poitrine maigre demi-sel.
Mettez le lard dans une casserole,
couvrez-le d'eau et portez doucement à ébullition. Laissez frémir
pendant 5 minutes puis égouttez le
lard et coupez-le en petits dés.
Préparez les poissons comme il est
indiqué dans la recette précédente
et ajoutez les dés de lard dans le
hachis d'ail et d'oignons (n° 2).
Procédez comme il est indiqué par
la suite, en versant le vin rouge
(bourgogne) à la place du vin
blanc. Réduisez le temps de cuisson du fumet à 15 minutes (au lieu
de 30 minutes, car le vin rouge est
moins acide). Vous pouvez aussi
faire flamber les poissons avec 1
ou 2 cuillerées à soupe de marc de
Bourgogne.

Cassoulets

Cassoulet à ma façon

Il faut, pour 8 personnes :
1 kg de fèves surgelées
2 blancs de poireaux
1 belle carotte
1 l de bouillon de volaille
1 épaule d'agneau désossée
2 branches de thym
1 gros oignon piqué de 1 clou de girofle
1 gousse d'ail
4 tranches de jambon d'York
1 saucisson à cuire aux pistaches et aux truffes (ou aux morilles)
400 g de confit d'oie
4 ou 5 branches de cerfeuil
Sel, poivre

Temps de préparation : 20 à 25 mn.
Temps de cuisson : 40 à 45 mn.

1. Plongez les fèves dans une casserole d'eau bouillante salée pendant 10 minutes : vous pourrez les peler facilement.

2. Nettoyez les poireaux à l'eau claire, égouttez-les et coupez-les en fines rondelles. Pelez la carotte et coupez-la en bâtonnets dans le sens de la longueur. Égouttez les fèves et versez 1 litre de bouillon de volaille dans un grand faitout, allant au four. Ajoutez l'épaule d'agneau, le thym, l'oignon, la gousse d'ail pelée et écrasée, les fèves pelées, les morceaux de carotte et de poireau, salez, poivrez, couvrez et glissez le faitout dans le four préchauffé à 180° (th. 6) pour 25 minutes envi-

ron. Si, au cours de la cuisson, les fèves se desséchaient un peu, ajoutez encore du bouillon de volaille. Au bout de 10 minutes, ajoutez le saucisson à cuire.

3. Pendant ce temps, préparez le confit d'oie ; faites chauffer une plaque (ou un gril) en fonte et faites-y revenir les morceaux d'oie environ pendant 10 minutes (gardez la graisse, elle vous sera utile pour la préparation d'autres recettes). Lorsque les morceaux sont juste grillés et légèrement dorés, sortez le faitout du four, ajoutez-y les morceaux d'oie, couvrez de nouveau et laissez encore cuire 15 minutes environ. En tout, l'épaule d'agneau aura donc cuit pendant 40 minutes, le saucisson pendant 30 minutes et le confit d'oie, 25 minutes.

4. En fin de cuisson, ajoutez les tranches de jambon d'York juste pour les réchauffer à la température des autres ingrédients.

5. Plongez les assiettes individuelles dans de l'eau bouillante pour les préchauffer : en effet, l'agneau a tendance à vite se figer et cette opération s'avère bien agréable pour cette recette en particulier. Séchez-les rapidement et portez-les sur la table.

6. Au moment de servir, sortez le faitout du four et retirez délicatement l'épaule d'agneau et le saucisson. Égouttez, si cela est nécessaire, les fèves qui doivent commencer à « coller » au fond du récipient mais gardez le jus de cuisson que vous versez dans la saucière. Replacez les fèves dans le plat de cuisson, coupez l'épaule

d'agneau et le saucisson en tranches assez épaisses, couvrez-en les fèves ; coupez également les tranches de jambon d'York en deux, posez-les dans le plat de cuisson ainsi d'ailleurs que le confit d'oie (si vous n'avez pas été obligé de faire égoutter les fèves, le confit d'oie se trouve au fond du récipient avec les légumes). Décorez de cerfeuil ciselé. Accompagnez du jus de cuisson servi en saucière préchauffée.

Le vrai cassoulet, plat originaire du Languedoc, se prépare, bien sûr, avec des haricots blancs cuits dans une marmite avec des couennes de porc fraîches et des aromates, mais notons qu'à l'origine, avant que les haricots ne soient introduits en France au XVIe siècle, c'étaient bien les fèves qui constituaient le fond du ragoût. Il en existe plusieurs versions selon les sortes de viandes utilisées. Ce sont les garnitures qui font la différence entre les cassoulets : celui de Castelnaudary, par exemple, comprend du porc, du jambon, du saucisson à l'ail et des couennes fraîches. A Carcassonne, on utilise traditionnellement du gigot de mouton et de la perdrix, et à Toulouse, de la saucisse et du confit d'oie ou de canard.

L'essentiel étant que tous les ingrédients mijotent longuement ensemble et que la croûte qui se forme à la surface soit enfoncée régulièrement ; enfin la chapelure, ajoutée au dernier moment, est indispensable pour l'obtention d'une jolie croûte dorée.

Cassoulet toulousain

Il faut, pour 6 personnes :
800 g de haricots blancs
2 poireaux
2 carottes
2 oignons
1 clou de girofle
1 bouquet garni (thym, laurier, persil, céleri)
3 gousses d'ail
600 g d'épaule de mouton
250 g d'échine de porc
200 g de couenne de porc
3 cuill. à soupe de graisse d'oie
600 g de confit d'oie
600 g de saucisses fraîches de Toulouse
3 grosses tomates
100 g de chapelure (ou plus)
Sel, poivre

Temps de trempage : 12 h.
Temps de préparation : 30 mn.
Temps de cuisson : 5 à 6 h.

1. La veille, faites tremper les haricots dans une grande quantité d'eau fraîche. Renouvelez l'eau une ou deux fois pendant le trempage.

2. Le lendemain, préparez le cassoulet (suffisamment tôt pour qu'il cuise au moins 5 heures à four très doux) : nettoyez les poireaux, n'en conservez que les blancs. Lavez-les, coupez-les en rondelles. Pelez les carottes et les oignons, piquez-en un du clou de girofle et émincez en fines rondelles l'oignon restant et les carottes.

Passez le bouquet garni sous l'eau fraîche.

3. Égouttez les haricots, mettez-les dans un grand faitout, ajoutez les légumes que vous venez de préparer, y compris le bouquet garni, placez enfin l'épaule de mouton et l'échine de porc, puis versez de l'eau froide pour qu'elle recouvre juste les viandes. Laissez cuire à petits bouillons pendant 1 heure en écumant très souvent.

4. Pelez les gousses d'ail et écrasez-les. Frottez-en les parois d'une terrine en terre cuite vernissée (d'où son nom de cassole… cassoulet) et tapissez la terrine des couennes de porc, côté gras contre les parois. Allumez le four (th. 4).

5. Faites fondre la graisse d'oie dans une grande poêle et faites-y rissoler rapidement le confit d'oie. Éteignez le feu. Passez les saucisses sous l'eau fraîche et séchez-les dans du papier absorbant. Lavez les tomates, plongez-les 10 secondes dans de l'eau en ébullition, égouttez-les, pelez-les, ouvrez-les en deux et épépinez-les.

6. Égouttez les haricots et les viandes en conservant leur jus de cuisson. Coupez les viandes en gros morceaux. Tapissez le fond de la terrine avec la moitié des haricots, que vous prélèverez à l'aide d'une écumoire, ajoutez les morceaux de viande, salez et poivrez généreusement, recouvrez avec les tomates, puis finissez avec le reste des haricots. À l'aide d'une louche, prélevez du jus de cuisson des haricots pour qu'il ne recouvre que 2 centimètres de surface et, à

l'aide d'une cuillère à soupe, répartissez 2 cuillerées de graisse d'oie fondue.

7. Glissez la terrine dans le four et laissez cuire pendant 3 heures en « enfonçant » la peau qui se forme à la surface toutes les demi-heures (soit six fois en tout). Ajoutez, si nécessaire, un peu du jus de cuisson des haricots pour éviter que ceux-ci ne se dessèchent trop.

8. Après 2 h 30 de cuisson, piquez les saucisses avec une fourchette en deux ou trois endroits et placez-les dans la poêle où se trouve le confit d'oie. Reportez le tout sur feu moyen et laissez rissoler le temps que le confit et les saucisses commencent à dorer. A ce moment, coupez les saucisses en gros tronçons et le confit en 6 morceaux. Sortez la terrine du four et enfoncez les morceaux de saucisses et de confit à l'intérieur, versez le reste de graisse d'oie, parsemez la chapelure au-dessus et replacez dans le four. Laissez cuire pendant encore 1 heure, le temps que la chapelure « croustille » et que le dessus forme une croûte marron. Servez brûlant.

Gaspacho

Soupe froide espagnole, à base de légumes, à déguster lors des chaudes soirées d'été car elle est très rafraîchissante.

Il faut, pour 6 personnes :
Pour la soupe :
1/2 concombre
500 g de tomates mûres mais fermes
2 gousses d'ail
5 cuil. à soupe de vinaigre de xérès
1 cuil. à soupe de sucre
2 cuil. à soupe de cerfeuil haché
2 cuil. à soupe de basilic frais haché
Sel, poivre
Pour la garniture :
2 œufs
1/2 concombre
1/2 poivron vert
1/2 poivron jaune
2 oignons doux
2 tranches de mie de pain rassis
2 cuil. à soupe d'huile
Quelques feuilles du basilic frais

Temps de préparation : 30 mn.
Temps de cuisson :
9 mn pour les œufs ;
5 mn pour les croûtons.

1. Préparez la soupe : pelez le demi-concombre, coupez-le en deux dans le sens de la longueur, ôtez les pépins et la partie centrale et coupez la chair en morceaux, placez-les dans le bol d'un mixer.
2. Portez 1 litre d'eau à ébullition, plongez-y les tomates pendant 20 secondes, égouttez-les, passez-les sous l'eau fraîche et pelez-les. Coupez-les en deux, ôtez les pépins et la partie molle, coupez la chair grossièrement et placez-la dans le bol du mixer avec les concombres.

3. Pelez les gousses d'ail, écrasez-les et mettez-les également dans le mixer, versez l'huile, le vinaigre, ajoutez le sucre, le cerfeuil et le basilic, assaisonnez en sel et en poivre puis mixez le tout pendant 20 secondes.

Lorsque le mélange est réduit en purée, versez-le dans une grande soupière et placez-la au réfrigérateur. Si vous préférez une consistance plus fine, passez la soupe au chinois avant de la verser dans la soupière. Tassez bien pour en extraire le maximum de jus.

4. Préparez la garniture : portez de l'eau à ébullition et plongez-y les œufs ; faites-les durcir pendant 9 minutes puis passez-les sous l'eau froide et écalez-les. Laissez-les refroidir.

5. Pelez l'autre moitié du concombre et coupez-le en deux dans le sens de la longueur. Ôtez les pépins et la partie centrale et coupez la chair en petits dés ; placez-les dans un bol et réservez au frais. Lavez les poivrons, séchez-les avec du papier absorbant, ôtez les pépins et la partie blanche et coupez la chair en lanières puis en petits dés ; placez également dans des bols séparément selon les couleurs au réfrigérateur. Pelez les oignons, coupez-les en quatre et émincez-les finement.

Placez le hachis dans un petit bol et laissez en attente au frais. Coupez les œufs en deux et hachez les jaunes et les blancs séparément en petits dés. Mettez chacun de ces hachis dans un ravier.

6. Coupez le pain de mie en petits dés puis faites chauffer l'huile dans une grande poêle. Lorsque l'huile est chaude, faites-y frire les petits dés pendant 5 minutes, égouttez-les et mettez-les dans un autre ravier.

7. Pour servir, sortez la soupe et tous les bols et raviers du réfrigérateur, mélangez la soupe une dernière fois pour bien l'homogénéiser et portez à table. Chacun se servira en soupe puis en garniture, selon ses goûts.

Plats étrangers

Paella

Photo pages suivantes

Il faut, pour 6 personnes :
1 poulet
1 l de moules
1 verre de vin blanc
1 poivron vert
1 poivron rouge
6 langoustines
200 g de chorizo
4 gousses d'ail
1 oignon
1 cuil. à café de safran
1,5 l de bouillon de volaille
4 tasses de riz
2 cuil. à soupe d'huile d'olive
3 belles tomates mûres mais fermes
1 tasse de petits pois écossés
Sel, poivre

Temps de préparation : 35 mn.
Temps de cuisson : 50 mn à 1 h.

1. Faites découper le poulet par votre volailler en 6 morceaux.

2. Grattez les moules et ébarbez-les ; lavez-les soigneusement et mettez-les dans un grand récipient, versez le vin blanc et faites-les ouvrir, à découvert, sur feu vif pendant 5 minutes. Réservez-les.

3. Lavez les poivrons, coupez-les en morceaux et ôtez les pépins et les parties blanches qui se trouvent à l'intérieur. Lavez les langoustines et séchez-les. Coupez le chorizo en rondelles. Pelez l'ail et l'oignon, émincez-les finement.

4. Dans un grand récipient, mélangez le safran et le bouillon de volaille et faites-y cuire le riz pendant 15 minutes, à couvert, puis éteignez le feu et laissez le riz continuer de gonfler.

5. Dans une grande poêle, (la paella, en espagnol), faites chauffer l'huile et faites-y revenir l'ail et l'oignon jusqu'à ce qu'ils deviennent transparents ; mettez-y les morceaux de poulet pour les faire dorer pendant 5 minutes.

6. Plongez les tomates pendant 20 secondes dans de l'eau en ébullition et pelez-les ; coupez-les en deux et pressez-les pour en ôter les pépins et les parties molles qui se trouvent à l'intérieur. Mettez-les dans la poêle où cuit le poulet, remuez bien et ajoutez tous les ingrédients que vous avez préparés dans l'ordre suivant : les anneaux de poivrons, les rondelles de chorizo, les moules entières avec leur jus de cuisson, les langoustines, les petits pois, et couvrez d'un large couvercle ; laissez cuire pendant 20 minutes, le temps que la viande devienne tendre.

7. Coupez le citron en quartiers et lavez le persil. Séchez-le avec du papier absorbant.

8. Égouttez le riz, s'il reste du liquide de cuisson, et étalez-le dans un grand plat préchauffé, placez dessus le contenu de la poêle en disposant joliment les différents ingrédients : le poulet, le chorizo, les moules et les langoustines.

Sangria

Il faut, pour 6 personnes :
2 cuil. à soupe de sucre en poudre
1 bouteille de vin rouge ou de rosé sec
2 oranges non traitées
1 citron non traité
2 pêches
2 verres de soda (ou de champagne) De la glace pilée
1 orange pour le décor

Temps de préparation : 10 mn.
Temps de cuisson : 5 mn.
Temps de macération : 2 h au minimum.

1. Faites fondre le sucre avec un verre de vin dans une petite casserole. Versez le mélange dans une belle cruche et ajoutez le reste de la bouteille.

2. Lavez les 2 oranges et le citron mais ne les pelez pas ; coupez-les en fines rondelles au-dessus de la carafe et mettez-les à tremper dans le vin. Pelez les pêches, coupez-les en deux, ôtez le noyau et coupez-les en petits morceaux que vous mettez également dans la carafe. Versez le soda et laissez macérer pendant au moins 2 heures.

3. Au moment de servir, ajoutez un peu de glace pilée. Coupez la dernière orange en fines rondelles. Faites une entaille dans chacune d'elles pour pouvoir les poser à cheval sur chaque verre. Dégustez bien frais.

Couscous

Il faut, pour 6 personnes :
500 g de collier de mouton
1 petit poulet
1 gros oignon
3 carottes
3 courgettes
1 bouquet de coriandre
1 petite boîte de pois chiches
1/2 cuil. à café de cannelle
1/2 cuil. à café de harissa
3 cuil. à soupe d'huile d'olive
1 kg de tomates
500 g de couscous (semoule grains moyens)
50 g de beurre
1 tasse de raisins secs
Pour la sauce :
1 cuil. à café de harissa
2 cuil. à soupe d'huile d'olive
Quelques feuilles de menthe
Sel, poivre
Pour les brochettes :
3 beaux oignons
400 g de gigot d'agneau
6 merguez

Temps de préparation : 40 mn.
Temps de cuisson : 1 h.

1. Coupez la viande de mouton en gros cubes. Découpez le poulet en 6 morceaux. Pelez l'oignon et les carottes. Lavez-les, séchez-les, coupez-les en morceaux. Lavez les courgettes, essuyez-les, ne les pelez pas et coupez-les en rondelles. Ouvrez la boîte de pois chiches, passez les pois chiches sous l'eau froide et égouttez-les.

2. Placez toutes les viandes et tous les légumes dans la marmite d'un couscoussier, ajoutez le bouquet de coriandre et les pois chiches. Versez de l'eau juste à hauteur, salez, poivrez, assaisonnez en cannelle et en harissa, arrosez de l'huile d'olive et portez à ébullition. Écumez de temps en temps. Laissez cuire 30 minutes.

3. Faites ramollir le beurre en l'écrasant avec une fourchette et mélangez-le à la graine ; portez à ébullition deux verres d'eau salée et jetez-les sur le couscous. Égrenez-le souvent, avec une fourchette et lorsqu'il a un peu gonflé, placez-le sur le panier supérieur de votre couscoussier ; il va cuire à la vapeur dans le couscoussier.

4. Prélevez une louche de bouillon du couscoussier et versez-la sur les raisins secs ; laissez-les tremper le temps qu'ils gonflent.

5. Lavez les tomates, plongez-les 10 secondes dans de l'eau en ébullition, égouttez-les, pelez-les et épépinez-les ; ajoutez-les aux viandes et légumes.

6. Après 30 minutes de cuisson, sortez les viandes et les légumes et placez-les dans un grand plat creux ; filtrez le bouillon et replacez-le sur le feu.

7. Remettez-y la viande de mouton et laissez encore cuire pendant 15 minutes sans couvrir.

8. Pendant ce temps, préparez les brochettes ; pelez les oignons et coupez-les en deux ou en quatre selon leur taille. Coupez le gigot en gros cubes et enfilez-les sur des piques en métal en alternant avec des morceaux d'oignon.

Huilez-les légèrement et faites-les griller sur un gril ou au barbecue. Faites griller également les merguez et maintenez-les au chaud.

9. Avant de servir, remettez les morceaux de poulet et les légumes dans le couscoussier, le temps qu'ils réchauffent.

10. Au moment de servir, sortez le couscous du panier et égrenez les grains soigneusement dans un grand plat creux ; jetez-y les raisins bien gorgés de bouillon et mélangez le tout longuement en soulevant sans écraser les grains. Placez sur le couscous les brochettes de gigot et les merguez.

11. Versez le contenu du couscoussier au travers d'un tamis et récupérez les viandes et les légumes que vous poserez délicatement dans un autre grand plat creux préchauffé.

12. Versez le bouillon obtenu dans une soupière, goûtez, rectifiez au besoin l'assaisonnement en sel et en poivre, parsemez de quelques feuilles de menthe ciselées et maintenez au chaud.

13. Dans un grand bol, mélangez l'harissa, l'huile d'olive et 2 cuillerées à soupe de bouillon.

14. Portez sur la table de service les plats contenant le couscous et les viandes, la soupière contenant le bouillon et le bol de sauce harissa. Chacun se servira d'abord en graine, puis en sauce piquante, en viandes, en légumes et enfin en bouillon qui doit bien arroser le tout.

Bouillabaisse basque

Cette bouillabaisse, version basque, demande un certain temps de préparation, mais cela vaut la peine que l'on s'y attèle au moins une fois dans sa vie, pour connaître son inégalable saveur qui vous fera fondre de plaisir…

Il faut, pour 6 personnes :
Pour le fumet de poisson :
2 petites rascasses
200 g de parures de poissons
3 oignons
4 gousses d'ail
3 belles tomates bien mûres
1/2 l de vin blanc sec
1 bouquet garni (thym, laurier, persil, céleri)
Pour la garniture :
3 cuil. à soupe d'huile d'olive
500 g de lotte
500 g de congre
6 rougets barbets
1/2 l de moules
6 grosses palourdes (ou 12 coques)
6 belles langoustines
1/2 cuil. à café de safran
1 petit piment rouge
1 bouquet de persil plat
Sel , poivre
Pain rassis
2 gousses d'ail

Temps de préparation : 1 h.
Temps de cuisson : 1 h 20.

1. Préparez tous les éléments du fumet de poisson : passez rapidement sous l'eau fraîche les rascasses et les parures, faites-les égoutter dans une passoire. Pelez les oignons et l'ail, hachez-les très finement, plongez les tomates pendant 10 secondes dans de l'eau en ébullition, égouttez-les et pelez-les également. Ouvrez-les en deux et épépinez-les.

2. Faites chauffer 1 cuillerée à soupe d'huile d'olive dans une grande casserole et faites-y revenir les oignons et l'ail jusqu'à ce qu'ils deviennent translucides ; ajoutez alors les poissons et les parures et laissez étuver doucement pendant 10 minutes. A ce moment, ajoutez les tomates, le bouquet garni, couvrez de 2 litres d'eau, salez, poivrez et laissez mijoter pendant 1 heure. Écumez de temps à autre pour clarifier le fumet.

3. Pendant ce temps, préparez les poissons et les coquillages : passez la lotte et le congre sous l'eau fraîche, séchez-les sur du papier aborbant, coupez-les en médaillons (vous pouvez ôter l'arête centrale) et placez-les au frais. Lavez les rougets, séchez-les, ne les videz pas et laissez-les entiers. Mettez-les avec les autres poissons. Grattez les moules, ébarbez-les et passez-les sous l'eau fraîche. Nettoyez et grattez les palourdes en prenant soin qu'il ne reste plus de sable. Nettoyez les langoustines, séchez-les.

4. Faites chauffer une deuxième cuillerée à soupe d'huile d'olive et faites-y sauter les poissons et les langoustines. Sortez-les au fur et à mesure qu'ils prennent une jolie couleur dorée et placez-les en attente sur du papier absorbant.

5. Essuyez le piment, ouvrez-le en deux et ôtez les pépins qui se trouvent à l'intérieur, hachez-le très finement. Lavez le persil et ciselez-le assez grossièrement. Allumez le four à 230° (th. 7).

6. Mélangez intimement le safran, le piment et le persil et écrasez-les au mortier avec un peu d'huile d'olive de cuisson. Laissez macérer quelques minutes.

7. Lorsque le fumet a cuit pendant 1 heure, filtrez-le soigneusement à travers une passoire fine ou au chinois et portez-le sur le feu pour qu'il réduise légèrement.

8. Dans un grand plat en terre allant au four, disposez les différents poissons (sauf les langoustines), ajoutez les moules et les coques, recouvrez de fumet en le versant très doucement et étalez dessus le hachis à base de piment. Enfoncez-le dans les orifices pour qu'il imprègne bien tous les poissons. Salez très légèrement.

9. Glissez le plat dans le four pendant 5 minutes, ajoutez alors les langoustines et laissez encore cuire pendant 5 minutes. Les poissons doivent être juste cuits et ne doivent pas se détacher.

10. Ouvrez les gousses d'ail en deux et frottez-en des tranches de pain de mie rassises, coupez-les en petits cubes et faites-les dorer dans le reste de l'huile d'olive.

11. Sortez le plat du four, répartissez équitablement tous les ingrédients, y compris le bouillon, dans des bols individuels et servez, accompagné de croûtons grillés.

Plats étrangers

Curry d'agneau à l'indienne

Il faut, pour 4 personnes :
600 g d'épaule d'agneau désossée
250 g d'oignons doux
2 gousses d'ail
1 yaourt au lait entier
1 tasse de lait de noix de coco
1/2 citron vert
250 g de tomates bien mûres ou 1,5 dl de coulis de tomates fraîches
1 cuil. à soupe d'huile d'arachide
2 cuil. à soupe de curry en poudre
Sel
Pour la garniture :
100 g de riz basmati
2 bananes
1 mangue
1 tasse de petits pois surgelés
1 poivron rouge
2 cuil. à soupe de jus de citron vert
Quelques branches de coriandre fraîche

Temps de marinade : 2 h minimum.
Temps de préparation : 1 h.
Temps de cuisson : 1 h 15.

1. Coupez la viande en petits cubes en éliminant autant que possible la graisse qui la recouvre. Pelez les oignons et les gousses d'ail et émincez-les très finement. Battez ensemble le yaourt, le lait de noix de coco et le jus de citron vert jusqu'à ce que vous obteniez un mélange bien lisse.

2. Dans un grand récipient creux, mettez les cubes de viande, l'oignon et l'ail et recouvrez de la sauce que vous venez de préparer. Couvrez le récipient et laissez mariner au frais au moins 2 heures en retournant les cubes de viande de temps à autre. L'idéal serait de préparer la marinade le matin pour le repas du soir.

3. Au moment du repas, préparez la suite de la recette : plongez les tomates pendant 1 minute dans de l'eau en ébullition puis pelez-les (la peau s'enlève toute seule), coupez-les en deux, ôtez leurs pépins, pressez-les pour en exprimer toute leur eau et enfin écrasez-les grossièrement à la fourchette. Placez-les dans une passoire pour que l'eau continue de s'écouler le temps que vous préparerez le curry.

4. Faites chauffer l'huile dans une grande cocotte sur feu moyen puis versez-y toute la marinade, ajoutez le curry et le sel, mélangez bien et portez le tout doucement à ébullition. A ce moment, ajoutez les tomates écrasées (ou le coulis de tomates fraîches), baissez le feu, couvrez la cocotte et laissez mijoter pendant 1 heure.

5. Après 40 minutes de cuisson du curry, commencez à préparer la garniture : faites cuire le riz dans une grande quantité d'eau salée après l'avoir lavé dans plusieurs eaux. Selon la qualité du riz, cela demande de 8 à 15 minutes : il faut qu'il reste un peu ferme sous la dent. Lorsqu'il est cuit, éteignez le feu et couvrez la casserole, le riz va continuer de cuire un peu mais

ne refroidira pas le temps que vous prépariez les fruits.

6. Faites décongeler les petits pois au four à micro-ondes ou simplement en les plongeant dans de l'eau bouillante. Lavez le poivron, ouvrez-le en deux, ôtez les graines et les peaux blanches qui se trouvent à l'intérieur et coupez-le en fines lanières. Faites-les blanchir 2 minutes dans de l'eau bouillante et égouttez-les.

7. Pelez les bananes et la mangue ; coupez la mangue en deux, ôtez le noyau central en le décollant de la chair et coupez celle-ci en belles lamelles régulières. Détaillez les bananes en fines rondelles et arrosez les fruits de jus de citron vert.

8. Au moment de servir, faites égoutter le riz. Prenez un grand plat creux préchauffé, recouvrez-en la moitié de riz au-dessus duquel vous parsemez les petits pois et les lanières de poivron ; sur l'autre moitié du plat, versez la viande et sa sauce puis les rondelles de banane et les lamelles de mangue. Décorez de branches de coriandre fraîche, entières. Servez sans attendre, car ce plat doit être dégusté très chaud.

Lasagne al forno

Il faut, pour 6 personnes :
400 g de lasagne
500 g de bœuf cuit
100 g de jambon de Paris
4 échalotes
8 tomates mûres mais fermes
4 gousses d'ail
1 branche de céleri
1/2 botte de persil plat
1 bouquet garni
1 tablette de bouillon de volaille
125 g de parmesan fraîchement râpé
3/4 l de lait
60 g de beurre
50 g de farine
6 cuil. à soupe d'huile d'olive
Sel, poivre

Temps de préparation : 30 mn.
Temps de cuisson : 1 h 30.

1. Portez à ébullition une grande quantité d'eau salée et faites-y cuire les lasagne pendant 20 minutes. Quand elles sont cuites, sortez-les de l'eau et égouttez-les sur un grand linge propre.

2. Hachez ensemble le bœuf et le jambon avec un hachoir, grille moyenne, et placez le mélange dans un grand récipient creux.

3. Pelez les échalotes, les gousses d'ail et le céleri ; plongez les tomates pendant 10 secondes dans de l'eau bouillante, pelez-les, ouvrez-les en deux et pressez-les pour en ôter l'eau et les pépins. Lavez le persil et séchez-le.

4. Hachez très finement les échalotes, l'ail, le céleri et le persil et mélangez très intimement ce hachis au hachis de viandes. Malaxez bien le tout pour former une pâte homogène.

5. Émiettez la tablette de bouillon de volaille dans 2 décilitres d'eau, portez à ébullition.

6. Faites chauffer 4 cuillerées à soupe d'huile d'olive dans une grande poêle et faites-y revenir le hachis sur feu vif pendant 4 à 5 minutes, ajoutez alors les tomates. Écrasez-les à la fourchette dans la poêle, laissez mijoter pendant 5 minutes puis ajoutez le bouquet garni et couvrez du bouillon de volaille bien chaud. Laissez cuire, à petits bouillons pendant 1 heure, il faut que le liquide soit parfaitement évaporé. Retirez le bouquet garni.

7. Pendant la cuisson de la farce, préparez une sauce béchamel : faites fondre le beurre dans une grande casserole et jetez en pluie la farine, remuez vivement à l'aide d'une spatule en bois et laissez cuire 1 ou 2 minutes. Ajoutez alors le lait froid en une seule fois, salez, poivrez et portez à lente ébullition. Laissez mijoter en remuant sans cesse. La béchamel est prête lorsqu'elle nappe la cuillère.

8. Faites chauffer le four à 250° (th. 9).

9. Huilez un grand plat avec le reste de l'huile d'olive et tapissez-le d'une couche de lasagne. Il faut qu'elle recouvre complètement le fond. Étalez une couche de sauce à la viande (sauce bolognaise) puis une couche de sauce béchamel, parsemez de parmesan puis renouvelez les opérations jusqu'à épuisement des ingrédients en terminant par une couche de béchamel saupoudrée de parmesan.

10. Glissez le plat au four et laissez gratiner pendant 15 ou 20 minutes.

Version italienne de notre **hachis parmentier** national, voici une excellente recette de farce pour utiliser des restes de pot-au-feu. D'autres versions sont également à essayer : au jambon et aux épinards : avec une couche de jambon haché et une couche d'épinards cuits au beurre ou encore, en plus sophistiqué, avec du saumon frais émietté et de la sauce béchamel allégée.

Dans le cas d'un hachis parmentier, la recette de la farce à la viande est à peu de chose près similaire. Mais alors, vous pouvez ne pas mettre de tomates, la viande cuira uniquement dans du bouillon. Inutile de préparer une béchamel, la purée de pommes de terre qui entoure la viande sera simplement recouverte de chapelure et de noisettes de beurre. A faire gratiner comme dans la recette précédente.

Petites galettes à la viande d'agneau

Photo ci-contre

Il faut, pour 4 personnes :
Pour la pâte :
300 g de farine
1 dose de levure de bière
Sel, poivre
Pour la garniture :
250 g de viande d'agneau (selle ou épaule)
2 tomates mûres mais fermes
1 petit oignon ou 1 échalote
1 petit piment rouge
3 cuil. à soupe d'huile d'olive
1 cuil. à soupe de pignons de pin
1 pincée de paprika
1 cuil. à soupe de jus de citron
1 bouquet de persil plat

Temps de préparation : 30 mn.
Temps de repos : 1 h.
Temps de cuisson : 35 mn.

1. Préparez la pâte : tamisez la farine et versez-la en fontaine dans un grand récipient creux. Versez la levure de bière dans un bol et délayez-la dans un peu d'eau tiède. Formez un puits dans la farine et versez-y lentement la levure délayée par petites quantités jusqu'à ce que la farine ait tout absorbé. Pétrissez la pâte et ajoutez un peu d'eau pour obtenir une boule élastique et lisse. Recouvrez-la d'un linge propre et laissez-la reposer au moins 1 heure dans un endroit frais.

2. Reprenez-la boule, séparez-la en petites boules et étalez-les sur une surface farinée de façon à former des parts individuelles ; laissez-les encore reposer, le temps de préparer la garniture.

3. Préparez la garniture : plongez les tomates 10 secondes dans de l'eau en ébullition et pelez-les. Ouvrez-les en deux et pressez-les pour en extraire les pépins et l'excédent d'eau. Pelez l'oignon ou l'échalote et essuyez le piment ; ouvrez-le en deux et ôtez les pépins et les parties blanches. Coupez la viande en gros cubes.

4. Dans une grande poêle, faites chauffer 2 cuillerées à soupe d'huile d'olive et faites-y revenir la viande sur toutes ses faces. Lorsqu'elle a pris une belle coloration, jetez l'huile et hachez grossièrement la viande ; pour cela, utilisez de préférence un hachoir, grille moyenne, ou mixez-la dans le bol, pendant 2 à 3 secondes seulement. Hachez menu l'oignon et le piment. Concassez les tomates.

5. Dans la même poêle, faites chauffer le reste d'huile d'olive et faites-y revenir le hachis d'oignon et de piment, le hachis de viande et enfin les tomates concassées pendant 5 à 7 minutes. Salez, poivrez, ajoutez le paprika, les pignons de pin et enfin le jus de citron. Laissez mijoter encore 2 à 3 minutes. Éteignez le feu.

6. Lavez le persil et hachez-en la moitié ; laissez les autres branches entières pour la décoration. Faites chauffer le four (th. 6) pendant 10 minutes.

7. Sortez les parts de pâte et posez-les sur une plaque huilée.

Mélangez le hachis de viande au persil haché et posez un peu de ce mélange sur chaque galette. Enfournez et laissez cuire environ 15 minutes. Il faut que la pâte soit cuite et le dessus de la viande doré.

Servez ces délicieuses petites galettes avec du taboulé et un rosé de Provence bien frais.

Taboulé

Il faut :
100 g de boulghour fin
100 g de jus de citron
100 g d'huile d'olive
300 g de tomates
2 bottes de persil plat
2 branches de menthe fraîche
2 oignons
Sel, poivre

Temps de préparation : 10 mn.
Temps de macération : 3 h.

1. Versez le boulghour dans un grand plat creux et arrosez-le avec le jus de citron, mélangez bien puis versez l'huile, en minces filets ; laissez macérer en remuant souvent, le temps de préparer la suite.

2. Pelez les tomates, coupez-les en deux, retirez les pépins et coupez la chair en tout petits dés.

3. Lavez le persil et la menthe, ciselez-les finement. Pelez les oignons et hachez-les grossièrement.

4. Incorporez tous les ingrédients que vous venez de préparer au boulghour, salez, poivrez et placez au frais pour 3 heures.

Plats japonais

Préparer un repas entièrement japonais demande plus de goût et de sens de l'esthétique que d'habileté. Cependant il est possible que vous rencontriez des difficultés à vous procurer certains ingrédients, aussi nous conseillons-vous de vous rendre dans les magasins extrême-orientaux spécialisés ou dans le rayon exotique de votre supermarché.

N'oubliez pas non plus le matériel particulier nécessaire à la réalisation de vos recettes (sushimaki, par exemple).

Rouleaux de sushi

Il faut, pour 4 personnes :
250 g de riz de Californie
5 cl de vinaigre de riz
2 cuil. à soupe de sucre semoule
1 petit concombre

Temps de préparation : 20 mn + trempage de riz.
Temps de cuisson : 25 mn.

1. Lavez le riz sous l'eau fraîche jusqu'à ce qu'il ne reste plus d'amidon et versez-le dans une grande casserole ; laissez-le tremper pendant 1 heure ou au moins 30 minutes.

2. Mesurez le riz et l'eau ; les proportions doivent être de 1,5 cl d'eau pour une mesure de riz. Placez la casserole sur feu doux, cou-vrez et portez à ébullition ; laissez ainsi cuire jusqu'à ce qu'il ne reste plus de liquide. Tournez une fois ou deux avec une spatule en bois ; éteignez le feu et laissez gonfler le riz.

3. Pendant ce temps, mélangez dans un bol le vinaigre de riz, le sucre en poudre et une pincée de sel.

4. Pelez le concombre et coupez-le en allumettes de 0,5 à 1 centimètre de long. Poudrez-les très légèrement de sel fin.

5. Étalez le riz sur une surface de travail humidifiée et versez l'assaisonnement n° 3 en le répartissant uniformément. Mélangez en prenant soin qu'il ne s'agglutine pas.

6. Utilisez des sushimaki ou makisu (sorte de set de table en osier ou en bambou) sur lesquels vous poserez une couche de riz et placez au centre deux ou trois bâtonnets de concombre. Roulez les sushimaki sur eux-mêmes puis démoulez les sushi ; coupez-les en deux puis en quatre.

7. Servez les sushi accompagnés de sauce soja en coupelles.

Brochettes de boulettes de poulet

Il faut, pour 4 personnes :
300 g de poulet cru
1 œuf
2 brins de ciboulette
4 cuil. à soupe de sauce soja
2 cuil. à soupe de saké
4 cuil. à soupe de sucre en poudre
2 cuil. à soupe d'huile

1. Hachez le poulet assez finement avec une grille moyenne. Battez l'œuf entier et ajoutez-y 2 cuillerées à soupe de sauce soja et 2 cuillerées à soupe de sucre ; mélangez tous les ingrédients et confectionnez des petites boulettes en les malaxant pour qu'elles se maintiennent bien fermes.

2. Faites chauffer l'huile dans une grande poêle et faites-y dorer les boulettes pendant 4 à 5 minutes sur toutes leurs faces.

3. En fin de cuisson, jetez l'huile et versez à la place le reste de la sauce soja, le saké et le sucre ; laissez réduire le liquide sur feu vif et faites-y caraméliser les petites boulettes. Laissez tiédir quelques minutes.

4. Enfilez les boulettes sur des piques en bois, coupez finement la ciboulette au-dessus des brochettes, et servez.

Notre conseil : La même recette peut être réalisée plus rapidement avec des blancs de poulet en cubes et non hachés comme dans cette recette.

Raclettes et fondues

Raclette aux légumes

Voici une version originale de la traditionnelle raclette au fromage.

Il faut, pour 6 personnes :
1 kg de fromage à raclette
2 échalotes
2 gousses d'ail
4 cuil. à soupe d'huile d'olive
1 botte de petits oignons blancs
1 poivron vert + 1 poivron rouge
1 courgette
1 aubergine
250 g de champignons de Paris
3 tomates
3 branches de basilic
Sel, poivre, épices 5 parfums

Temps de préparation : 25 mn.
Temps de cuisson : 10 mn + temps de cuisson sur la table.

1. Préparez les légumes : nettoyez les oignons, ne les pelez pas, coupez-les en deux ou en quatre selon leur grosseur, gardez les tiges. Lavez les poivrons, ouvrez-les en deux, ôtez les pépins et les parties blanches qui se trouvent à l'intérieur et coupez-les en morceaux ou en lanières. Lavez la courgette et l'aubergine, ne les pelez pas, coupez-les en fines rondelles. Nettoyez les champignons, coupez leur pied terreux et laissez-les entiers s'ils sont petits. Au besoin, coupez-les en deux ou en quatre. Plongez les tomates 10 secondes dans de l'eau en ébullition, pelez-les, ouvrez-les en deux et pressez-les pour en ôter les pépins. Effeuillez le basilic et coupez-le grossièrement.

2. Pelez les échalotes et l'ail ; hachez-les très finement. Faites chauffer l'huile d'olive dans une grande poêle et faites-y revenir le hachis puis, lorsqu'il devient transparent, ajoutez tous les légumes en une seule fois. Salez, poivrez, assaisonnez d'une pincée d'épices 5 parfums et laissez cuire sur feu moyen pendant 10 minutes. Couvez, éteignez le feu et laissez la « ratatouille » tiédir lentement. (Cette recette peut être préparée la veille pour le lendemain, elle est encore meilleure).

3. Pendant ce temps, coupez le fromage en très fines tranches de la taille des coupelles de votre appareil à raclette. Rangez-les sur un grand plat creux.

4. Au moment de servir, faites réchauffer rapidement la ratatouille et faites gratiner le fromage, individuellement, sur la table, dans les coupelles de votre appareil à raclette. Parsemez le basilic haché sur la ratatouille, servez-la recouverte de 1 ou 2 tranches de fromage fondu.

5. Présentez séparément un beau plateau de charcuterie : jambon cru de montagne, viande des Grisons, saucisse sèche, etc.

Traditionnellement, la raclette se prépare dans la cheminée d'un chalet savoyard ou suisse… Le fromage utilisé, ne l'oublions pas, provient du canton du Valais situé, comme chacun sait, chez nos voisins helvétiques. On présente, inclinée, devant les braises d'un feu de bois, la tranche d'une demi-meule de fromage à raclette dont la croûte a été grattée et, lorsque le fromage commence à fondre, on « racle » la partie coulante sur une assiette. On répartit le fromage fondu dans des assiettes individuelles, on poivre généreusement et on sert avec des pommes de terre en robe des champs, des cornichons, des oignons au vinaigre et du jambon de montagne (ou de la viande des Grisons). Là encore, les variantes sont nombreuses, selon les produits régionaux, mais essayez la **raclette aux fines herbes et aux œufs,** c'est une idée toute simple et délicieuse pour un simple dîner en famille :

Faites fondre des tranches de fromage à raclette et cassez un œuf au-dessus ; laissez-le cuire, lorsque le blanc est « pris », il se mélange au fromage, parsemez alors des herbes du jardin juste ciselées et dégustez aussitôt.

Grande fondue chinoise

Temps de congélation : 3 h.
Temps de préparation : 1 h 30.
Temps de cuisson : 30 mn + temps de cuisson sur la table.

Il faut, pour 8 personnes :
250 g de filet de bœuf
250 g de filet de veau
2 beaux filets de canard
1 beau morceau de foie de veau
250 g de champignons de Paris
2 cuil. à soupe de jus de citron
250 g de soja frais
1 concombre, 2 poireaux
1 branche de céleri, 2 carottes
Pour le bouillon :
1,5 l de bouillon de volaille
2 cuil. à soupe de vinaigre de cidre
1 gousse d'ail écrasée
2 cuil. de miel
2 cuil. de sauce soja
1 cuil. à café de gingembre râpé
Sel, poivre, glutamate
Pour la sauce aigre-douce :
4 cuil. à soupe de bouillon de volaille
2 cuil. à soupe de ketchup
2 cuil. à soupe de vinaigre de cidre
2 cuil. à soupe de miel
Sel, poivre
2 cuil. à soupe de cacahuètes hachées
Pour la sauce aux œufs :
2 œufs entiers
3 jaunes d'œufs
2 cuil. à soupe de vin blanc
1/2 citron
Quelques gouttes de Tabasco
125 g de crème fraîche
Sel, poivre
2 cuil. à soupe de pistaches hachées

1. Placez les viandes dans le congélateur 3 heures à l'avance : au moment de la préparation, elles seront juste assez fermes pour être coupées en très fines tranches. Aidez-vous, pour cela, soit d'un tranche-tout, soit d'un couteau électrique. Étalez les tranches de viande en les faisant se chevaucher dans quatre coupelles différentes. Placez-les au frais.

2. Préparez tous les légumes. Nettoyez les champignons de Paris, ôtez leur bout terreux, coupez-les en deux ou en quatre, placez-les dans une grande coupelle et aspergez-les de quelques gouttes de jus de citron. Nettoyez le soja, plongez-le 20 secondes dans de l'eau bouillante salée, égouttez-le soigneusement et placez-le dans une autre coupelle. Lavez le concombre, pelez-le partiellement (laissez des bandes de peau) puis coupez-le en très fines rondelles ; rangez-les sur une grande assiette. Lavez les poireaux et la branche de céleri ; ne gardez que le blanc des poireaux et pelez le céleri au couteau économe ; émincez le tout très finement, rangez près des tranches de concombre. Pelez les carottes et les asperges et séchez-les dans du papier absorbant ; râpez grossièrement les carottes et rangez-les près des poireaux. Mettez au frais.

3. Préparez la sauce aigre-douce : faites chauffer le bouillon. Mélangez-y le ketchup, le vinai-gre, le miel, le sel et le poivre ; donnez encore quelques bouillons puis laissez tiédir. Versez dans un bol et saupoudrez les cacahuètes.

4. Préparez la sauce aux œufs : mettez les jaunes dans une casserole. Séparez les blancs et les jaunes de cinq œufs en réservant deux blancs dans un grand saladier. Mettez les cinq jaunes dans une casserole au bain-marie sur feu doux et battez les jaunes jusqu'à ce que vous obteniez une crème ; ajoutez alors le vin, le jus du demi-citron et le Tabasco, battez bien le tout, salez et poivrez. Laissez sur feu doux le temps de préparer la suite. Fouettez la crème fraîche, montez les blancs en neige et mélangez-les délicatement à la crème battue. Ajoutez ce mélange aux jaunes d'œufs par petites cuillerées. Laissez refroidir et ajoutez les pistaches. Versez dans un bol.

5. Préparez le bouillon de cuisson : faites chauffer le bouillon de volaille, ajoutez le vinaigre, l'ail, le miel dissous dans la sauce soja, du sel, du poivre, du glutamate, puis le gingembre.

6. Au moment de servir, versez le bouillon dans un poêlon et placez-le au centre de la table. Sortez les viandes et les légumes, placez-les également sur la table. A l'aide de petites écumoires individuelles, plongez les viandes et les légumes de votre choix dans le bouillon. Accompagnez-les des sauces préparées en utilisant de préférence la sauce aigre-douce pour les viandes et la sauce aux œufs pour les légumes.

Fondue vietnamienne

Il s'agit en fait d'une version extrême-orientale de notre fondue bourguignonne, mais en plus diététique. En effet, l'huile dans laquelle nous trempons nos cubes de viande est remplacée par un bouillon de volaille dégraissé, plus léger, préférable pour la forme !

Il faut, pour 6 personnes :
2 l de bouillon de volaille dégraissé
2 cuil. à café de sucre en poudre
1 cuil. à café de jus de citron
Pour la garniture :
250 g de filet de bœuf
2 rognons de porc
250 g de blancs de poulet
250 g de blancs de seiche
250 g de filets de lotte
6 langoustines ou 6 gambas
Pour la présentation :
Salade verte
Persil
Menthe
Pour la dégustation :
18 petites galettes de riz
1/2 chou-fleur
100 g de champignons noirs séchés
1 bol de vermicelle chinois
1 bol de sauce soja
1 bol de sauce aigre-douce

Temps de préparation : 30 mn.
Temps de cuisson : sur la table.

1. Dans une grande casserole, faites chauffer le bouillon de volaille, ajoutez-y le sucre et le jus de citron et laissez frémir le temps de préparer les éléments de la garniture.

2. Préparez la garniture : placez au congélateur le filet de bœuf et les blancs de poulet, pour pouvoir facilement les couper très finement. Préparez les rognons ; ouvrez-les en deux, dénervez-les, ôtez toute trace de graisse et coupez-les en fines tranches à l'aide d'un couteau électrique. Coupez les blancs de seiche en anneaux ou en lanières et tranchez, en biais, très finement les filets de lotte. Sortez du congélateur le filet de bœuf et les blancs de poulet, ils seront juste assez fermes pour que vous puissiez les trancher le plus finement possible. Rangez joliment chacun de ces éléments sur un grand plat recouvert de feuilles de salade — frisée par exemple. Placez ce plat au réfrigérateur ou dans un endroit frais.

3. Décortiquez les langoustines ou les gambas, mais conservez leur queue. Tirez le petit boyau noir qui se trouve sur le ventre. Faites tremper les champignons dans de l'eau tiède pendant 15 minutes ; essorez-les et placez-les dans un autre plat.

4. Coupez le chou-fleur en petits bouquets et disposez-les sur le même plat.

5. Roulez les crêpes de riz et rangez-les également sur le même plat.

6. Faites cuire le vermicelle pendant 10 minutes dans de l'eau en ébullition, égouttez-le et étalez-le.

7. Versez un peu de sauce soja dans une coupelle et de sauce aigre-douce dans une autre coupelle (les deux sauces se trouvent facilement dans les rayons de produits exotiques des grandes surfaces ou dans les épiceries spécialisées).

8. Versez le bouillon dans un caquelon ou, mieux, — si vous en disposez — dans un instrument de cuisson chinois tel que celui qui se trouve sur la photo.

9. Portez tous les plats sur la table, disposez les feuilles de menthe et le persil sur les viandes et sur les éléments de la garniture.

10. Chacun se servira des viandes et des légumes selon ses goûts et les placera dans une petite épuisette en métal tressé que l'on trouve dans les épiceries chinoises. Placez alors les épuisettes dans le bouillon et laissez cuire pendant 2 ou 3 minutes selon les viandes.

11. Étalez une galette de riz dans chaque assiette et répartissez dessus un peu de salade verte, une feuille de menthe et l'assortiment des aliments qui ont cuit dans le bouillon. Roulez la crêpe, fermez-la bien et trempez-la dans la sauce de votre choix, avant de la manger avec les doigts.

Fondue bourguignonne

Il faut, pour 4 personnes :
800 g de filet de bœuf
1 l d'huile d'arachide
1 branche de thym
1 feuille de laurier
Pour les sauces d'accompagnement :
1 grand bol de sauce mayonnaise
1 cuil. à soupe de moutarde forte
1 cuil. à soupe de concentré de tomates
2 gouttes de Tabasco
1 cuil. à soupe de crème fraîche
2 anchois
1 cuil. à soupe de câpres
2 cornichons
1 œuf dur
2 gousses d'ail
2 branches de basilic
1 cuil. à soupe de cognac
1 cuil. à soupe de ketchup

Temps de préparation : 20 mn.
Temps de cuisson : sur la table.

1. Coupez la viande en petits cubes de 2 centimètres de côté environ. Placez-la dans un saladier et laissez au frais le temps de préparer les sauces.

2. Préparez 5 raviers et placez dans chacun d'eux :
— la sauce dijonnaise : mélangez 3 cuillerées à soupe de mayonnaise et la moutarde.

— la sauce andalouse : mélangez 3 cuillerées à soupe de mayonnaise, le concentré de tomates, le Tabasco et la crème fraîche.

— la sauce tartare : ôtez les arêtes des anchois, réduisez-les en hachis avec les câpres, les cornichons et l'œuf dur entier et mélangez avec 3 cuillerées à soupe de mayonnaise.

— la sauce niçoise : pelez et pressez les gousses d'ail, ciselez finement le basilic et mélangez avec 3 cuillerées à soupe de mayonnaise.

— la sauce ketchup : mélangez 3 cuillerées à soupe de mayonnaise avec le cognac et le ketchup. Placez les raviers au réfrigérateur.

3. Versez l'huile dans un caquelon et ajoutez le thym et le laurier ; portez à ébullition sur la gazinière de votre cuisine.

4. Disposez tous les ingrédients sur la table ; au centre, placez et faites fonctionner le réchaud sur lequel sera posé le caquelon. La température devra être constante jusqu'à la fin du repas, mais l'huile ne devra pas bouillir.

5. Ôtez le thym et le laurier avec une écumoire et placez le caquelon sur le réchaud. Chacun se servira dans son assiette en cubes de viandes et en sauces.

6. Piquez un cube de viande au bout d'une fourchette à fondue, plongez-le dans l'huile et pendant 30 à 50 secondes, le temps que la viande cuise selon votre goût. Elle doit ressortir juste dorée. Égouttez-la quelques secondes pour en ôter l'excédent d'huile.

7. A l'aide d'une autre fourchette, pour ne pas vous brûler les lèvres, sortez la viande et trempez-la dans la sauce de votre choix.

Variantes :
A la place de l'huile, pas vraiment diététique, vous pouvez utiliser du bouillon de pot-au-feu ou de volaille dégraissé.

Dans ce cas, la recette pourrait s'apparenter au bœuf gros sel, et vous pourriez présenter du gros sel en plus des autres accompagnements.

Servez cette fondue avec des pommes chips, paille ou gaufrettes et terminez ce repas par un plantureux plateau de fromages assortis et une salade de fruits frais au kirsch.

Fondue aux quatre fromages

Photo ci-contre

Il faut, pour 6 personnes :
200 g d'emmenthal
200 g de fromage à raclette
150 g de gouda
150 g de tilsit
1/4 l de lait
1/4 l de vin blanc
1 cuil. à soupe de kirsch
2 cuil. à soupe de Maïzena
1 pointe de cumin en poudre
1 pointe de muscade râpée
1 gousse d'ail
Poivre du moulin
Pour la garniture :
1 pain de campagne légèrement rassis
2 branches de céleri
400 g de jambon cru de montagne
200 g de lard fumé bien maigre
6 pommes de terre juste cuites dans leur peau

Temps de préparation : 15 mn.
Temps de cuisson : 20 à 25 mn.

1. Émincez tous les fromages en fins copeaux sans les râper. Pour cela, vous pouvez utiliser votre mixer en faisant fonctionner l'appareil quelques secondes après avoir coupé les fromages en petits cubes et en avoir rempli le bol de votre mixer.

2. Pelez la gousse d'ail, coupez-la en deux et frottez-en généreusement le caquelon à fondue. Faites-y chauffer le lait et le vin blanc, puis versez-y les copeaux de fromage et, en remuant constamment avec une spatule en bois, laissez-les fondre sur feu moyen jusqu'à obtenir une crème onctueuse et homogène.

3. Délayez la Maïzena dans le kirsch et incorporez-les à la fondue en remuant toujours ; ajoutez le cumin, la muscade, un ou deux tours de poivre et baissez le feu. Si la fondue est trop épaisse, ajoutez un peu de lait.

4. Préparez un réchaud à alcool ou un chauffe-plat au centre de la table et réglez-le au ralenti. Posez-y le caquelon. Préparez la garniture. Coupez le pain en petits cubes. Épluchez le céleri et coupez-le en tronçons de 1 centimètre de longueur. Coupez le jambon et le lard en très fines tranches. Pelez les pommes de terre et coupez-les en deux ou en quatre. Portez le tout à table.

5. Chacun trempera, à sa guise, en utilisant une fourchette (ou une pique à fondue), cubes de pain et morceaux de céleri, dans la masse pâteuse, en tournant la fourchette sur elle-même pour bien enrober les cubes. Attention à ne pas vous brûler la langue lorsque vous les porterez à votre bouche !. Les pommes de terre et les tranches de jambon seront dégustées séparément, comme pour une raclette.

Mon conseil : Ne faites pas cuire votre fondue à gros bouillons, laissez-la seulement « mitonner » et remuez-la le plus souvent possible pour qu'elle reste liée jusqu'à la fin du repas.

Voici une variante, originaire de Suisse :

Fondue aux herbes

Il faut, pour 4 personnes :
2 gousses d'ail pelées
4 dl de vin blanc sec
250 g d'emmenthal râpé
250 g de comté râpé
250 g de fribourg râpé
1 cuil. à soupe de kirsch
1 pincée de poivre, de muscade, de bicarbonate de soude
1 cuil. à soupe de fécule (ou Maïzena)
1 branche de sauge, 1 branche d'estragon et 1 feuille de laurier

Temps de préparation : 10 mn.
Temps de cuisson : 20 mn environ.

1. Frottez le caquelon avec les gousses d'ail et faites-y chauffer le vin blanc, sauf 1 cuillerée que vous liez à la fécule.

2. Ajoutez les fromages, le poivre et la muscade dans le caquelon. Remuez bien avec une spatule en bois et laissez fondre jusqu'à obtenir une crème onctueuse.

3. Ajoutez le kirsch et le bicarbonate à la fécule et versez le tout dans la fondue. Mélangez bien et lissez à la spatule.

4. Lavez et hachez très finement la sauge, l'estragon et le laurier.

5. Au moment de servir, ajoutez les herbes dans la fondue et portez de suite sur le réchaud de la table.

Beignets légers à la japonaise

Cette recette, inspirée du Tempura japonais, est très simple à préparer et remporte toujours un grand succès. Elle est fondée sur le principe de la fondue bourguignonne qui consiste à tremper un ingrédient dans de l'huile à forte température, à la différence près qu'ici, l'ingrédient est d'abord enrobé d'une pâte à beignets légère ; contrairement à ce que l'on pourrait croire, elle reste très digeste car les beignets sont bien égouttés avant la dégustation.

Il faut, pour 6 personnes :
18 crevettes crues ou, mieux, 18 gambas
1 seiche
2 filets de lieu (ou de dorade)
500 g de filets de poulet ou de dinde
1 poivron rouge
1 poivron vert
2 aubergines
2 courgettes
2 oignons
2 tomates
1 fenouil
2 carottes
1 citron
1 bouquet de persil plat
Pour la pâte à beignets :
2 œufs
2 tasses d'eau glacée
2 tasses de farine
1 pincée de bicarbonate de soude
Pour le bain de friture :
1 l d'huile d'arachide + 25 cl d'huile de sésame

Pour les sauces d'accompagnement :

Sauce exotique

2 cuil. à soupe de Nuoc-Mâm
2 cuil. à soupe de sauce soja
1/2 carotte
1/2 navet

Sauces européennes

Tartare, ailloli, rouille, béarnaise, etc.

Temps de préparation : 30 à 40 mn.
Temps de cuisson : sur la table.

1. Préparez la volaille et les poissons : décortiquez les crevettes mais laissez leur queue. Lavez-les, séchez-les et réservez-les au frais. Lavez la seiche, décollez sa peau et coupez-la en deux ; ôtez l'os qui se trouve à l'intérieur ; découpez-la en petits carrés. Placez au frais. Coupez les filets de poissons en petits cubes et les filets de volaille en fines escalopes. Disposez tous ces ingrédients joliment sur un grand plat et mettez-le au frais le temps de préparer la suite.

2. Préparez les légumes ; lavez tous les légumes, séchez-les, ne pelez que les carottes et les oignons, ôtez les feuilles extérieures dures du fenouil et ouvrez les poivrons en deux pour en ôter les parties blanches et les pépins qui se trouvent à l'intérieur ; coupez-les en lanières ; coupez les aubergines et les courgettes en rondelles puis en deux ; coupez les oignons en anneaux, les tomates en tranches ou en quartiers, le fenouil en tranches et les carottes en bâtonnets. Disposez-les joliment sur une grille ou sur un grand plat creux.

3. Préparez la pâte à beignets : dans un saladier, mélangez les œufs, l'eau glacée, la farine et le bicarbonate de soude ; battez légèrement jusqu'à ce que la pâte devienne lisse.

4. Faites chauffer le bain de friture à 180° dans un wok ou dans un caquelon à fondue.

5. Préparez la sauce exotique : pelez la carotte et le navet et râpez-les. Dans un grand bol, mélangez-les avec le Nuoc-Mâm et la sauce soja. Sortez les autres sauces d'accompagnement et placez-les, une à une, dans des bols individuels.

6. Lavez le bouquet de persil, égouttez-le et coupez le citron en six rondelles.

7. Sortez les plats du réfrigérateur et décorez-les avec les rondelles de citron et le persil.

8. Portez le bain de friture sur la table, maintenez la chaleur à l'aide d'un réchaud ; apportez les plats et les sauces et, à l'aide d'une fourchette à fondue ou de baguettes — mais c'est plus délicat —, trempez les éléments de votre choix, — y compris le persil — dans la pâte à beignets puis dans le bain de friture. Laissez cuire 1 ou 2 minutes, selon les ingrédients, jusqu'à ce que les beignets soient croustillants et dorés à point. Trempez-les ensuite dans la sauce de votre choix.

Galettes salées

Il faut :
500 g de farine de sarrasin (ou 250 g de farine de blé et 250 g de farine de sarrasin)
6 gros œufs
1/2 l de lait + 1/2 l d'eau
1 pincée de sel
3 cuil. à soupe d'huile d'arachide ou de beurre fondu

1. Tamisez la farine dans une grande jatte, creusez un puits et ajoutez les œufs, un à un, en battant au fouet, puis versez le lait et l'eau, petit à petit, pour détendre la pâte, ajoutez le sel et l'huile (ou le beurre). Battez jusqu'à obtention d'une pâte lisse et homogène et laissez reposer si possible jusqu'au lendemain ; à défaut, 2 heures au minimum après avoir couvert la pâte d'un linge.

2. Au moment de faire les galettes, battez de nouveau la pâte et délayez-la avec un peu d'eau pour la rendre souple et fluide.

3. Graissez une poêle ou, mieux, une crêpière, et versez une louche de pâte, étalez-la et faites-la cuire 1 minute de chaque côté. Retournez-la à l'aide d'une spatule en bois ou faites-la sauter.

Crêpes sucrées

La préparation est exactement la même que pour les galettes, mais employez 500 grammes de farine de blé et ajoutez 2 pincées de sucre à la pâte ainsi qu'un sachet de sucre vanillé.

Voici maintenant quelques exemples de garniture :

Galettes forestières

300 g de champignons des bois
2 gousses d'ail
150 g de crème fraîche
30 g de beurre
3 cuil. à soupe de persil ciselé
Sel, poivre

1. Nettoyez les champignons, puis faites-les juste sauter dans une poêle à revêtement anti-adhésif.

2. Ajoutez l'ail pelé et haché, la crème fraîche, le persil, le sel et le poivre. Laissez revenir pendant 10 minutes puis versez cette préparation dans une saucière.

3. Maintenez-la au chaud et portez-la sur la table. Chacun farcira sa crêpe de ce mélange et la fera réchauffer sur la crêpière.

Galettes norvégiennes

200 g de saumon cru mariné à l'aneth coupé en très fines tranches
100 g de crème fraîche + 1 cuil. à soupe de jus de citron mélangés
Poivre
Œufs de saumon

Faites réchauffer la galette sur la crêpière puis une tranche de saumon, recouvrez de crème fraîche, poivrez et formez un dôme avec les œufs de saumon.

Galettes aveyronnaises

150 g de roquefort émietté
50 g de beurre
1 cuil. à soupe de céleri-branche haché
2 cuil. à soupe de moutarde
50 g de cerneaux de noix

Réduisez en pommade le roquefort et le beurre, ajoutez le céleri, la moutarde, et étalez cette préparation sur la galette réchauffée ; décorez d'un cerneau de noix.

Crêpes glacées à la framboise

3 boules de glace à la framboise
3 cuil. à soupe de gelée de framboise
1 cuil. à soupe d'eau-de-vie de framboise
6 cuil. à soupe de crème fouettée

Faites chauffer le gelée de framboise, ajoutez l'eau-de-vie. Faites réchauffer une crêpe sucrée. Garnissez-la d'une boule de glace, versez la gelée liquide et décorez de crème fouettée.

Fondue au chocolat

Il faut, pour 6 personnes :
500 g de crème fraîche
250 g de chocolat au lait
250 g de chocolat noir
1 dl de lait
Le jus de 1 orange
1 sachet de sucre vanillé
2 cuil. à soupe d'eau de fleur d'oranger
Pour la garniture :
1 ananas frais
250 g de fraises
2 bananes
2 pommes
1 morceau de quatre-quarts
Des petites madeleines
1 brioche

Temps de préparation : 45 mn.
Temps de cuisson : sur la table.

1. Faites fondre la crème fraîche dans une petite casserole sur feu doux.

2. Pendant ce temps, cassez les chocolats en morceaux et faites-les fondre dans une autre casserole, avec un peu de lait. Lorsque le mélange est onctueux, ajoutez le jus d'orange, le sucre vanillé et l'eau de fleur d'oranger, puis la crème fraîche liquide et mélangez bien le tout ; laissez sur feu très doux.

3. Préparez la garniture. Épluchez l'ananas, coupez-le en quatre, ôtez la partie centrale dure et coupez les quartiers en fines tranches. Nettoyez les fraises, équeutez-les. Pelez les bananes et coupez-les en petits tronçons. Pelez les pommes, ouvrez-les en quatre, ôtez la partie centrale et coupez-les en lamelles. Coupez le quatre-quarts et la brioche en petits morceaux, laissez les madeleines entières.

4. Au moment de servir, versez le chocolat liquide dans un poêlon et placez-le au centre de la table. A l'aide de fourchettes à fondue, plongez les fruits et les gâteaux dans le chocolat jusqu'à ce qu'ils en soient bien nappés et reportez-les dans des assiettes individuelles avant de les déguster, tout fondants, avec une autre fourchette pour ne pas vous brûler.

Mon conseil : Vous pouvez agrémenter cette fondue au chocolat de boules de glace de parfums différents.

Les enfants en raffolent et cette recette présente l'avantage de pouvoir constituer à elle seule un goûter complet pour les mercredis pluvieux ou pour un anniversaire.

Présentez différents jus de fruits frais, quelques pâtisseries supplémentaires, des chouquettes, du gâteau de riz ou une tarte aux fruits par exemple et une foule de friandises : des nougats, des caramels, des bonbons, des truffes, des fruits déguisés, des meringues, etc.

Voici quelques exemples de recettes-éclairs qui compléteront votre goûter en un clin d'œil.

— Mousse aux fraises (prête en 1 mn) :
Dans un bol de mixeur, placez 2 bananes coupées en rondelles, 250 g de fraises lavées, équeutées et coupées en morceaux, 2 cuillerées à soupe de jus de citron, 100 grammes de crème fraîche, 1 sachet de sucre vanillé et un cube de glace.

Faites fonctionner l'appareil pendant 30 secondes et répartissez cette mousse dans des coupes individuelles.

— Fromage blanc aux bananes (prêt en 1 mn) :
Écrasez à la fourchette 2 bananes bien mûres et mélangez avec 100 grammes de fromage blanc battu ou 2 petits-suisses. Ajoutez 2 cuillerées à soupe de sucre semoule et placez au frais.

— Salade à l'orange :
Pelez 2 oranges. Coupez-les en fines tranches et ôtez les pépins. Mettez-les dans un saladier. Pressez une troisième orange et versez le jus sur les tranches. Saupoudrez de sucre semoule. Accompagnez d'une crème anglaise.

Index